Ex **Hogg** Libris

CAMPAGNE ANGLAISE

Du même auteur

La chambre des officiers, Lattès, 1998

Marc Dugain

CAMPAGNE ANGLAISE

Roman

JC Lattès

I

L'homme descendait doucement l'avenue Foch en direction de la Porte Dauphine. Il fit une première fois le tour de la place dans le flot des voitures qui venaient de droite et de gauche, puis immobilisa son automobile en face du trottoir où la jeune femme évoluait habituellement. L'après-midi touchait à sa fin, et la petite communauté de ceux qui font commerce de leur corps s'installait tranquillement. Des hommes seuls surgissaient de nulle part, comme des champignons aux premières pluies d'automne. De vieilles camionnettes aux rideaux baissés venaient se ranger les unes derrière les autres le long des trottoirs.

Elle n'était pas là. L'homme coupa le moteur, alluma une cigarette et attendit. La quarantaine, l'allure distinguée, des traits juvéniles, striés de petites rides tentaculaires, son expression était celle de ces hommes que l'on croit comblés par la vie, mais qui sont prêts à tout perdre sans amertume ni regret, pourvu qu'on les débarrasse de la mélancolie qui s'est invitée dans leur regard.

Il resta de longues minutes à observer le ballet de cette bourse aux corps, s'interrogeant sur tout ce qui pouvait se cacher là de mystères, de blessures et d'abnégation. Quant à ceux qui ralentissaient, vitres baissées, dissimulés derrière leurs lunettes de soleil, il se demanda d'où leur venait le besoin impérieux de cette ponction.

Harold Delamere ne s'était encore jamais trouvé dans la situation de payer pour une relation charnelle, pour la simple raison qu'il n'avait jamais eu de relation charnelle avec une femme. Purement charnelle. Mais il n'avait connu aucune femme depuis six ans. Six années sans le moindre désir. Comme si la plus petite pulsion avait été enfouie ainsi qu'on enterre les traces d'un crime. Il y avait des raisons à ça.

Et puis, il l'avait aperçue un jour de mai, une grande brune à la peau mate, qui se tenait à l'angle de la route menant au Bois de Boulogne. Elle était droite et digne, le regard échoué au loin, ne faisant pas le moindre effort pour promouvoir son corps. Plusieurs voitures s'étaient arrêtées. Elle était montée dans quelques-unes et en était ressortie sans chercher à dissimuler ce qu'elle était. Delamere l'avait observée plusieurs jours sans se décider à l'aborder.

Il fit le tour de la place comme pour prendre son élan, puis vint se ranger à sa hauteur. Il baissa la vitre du côté du passager. Elle s'approcha ; son regard n'avait pas la moindre expression. Ni gêne ni ennui, une grande lassitude.

— Je connais les tarifs, dit-il, montez.

Elle s'installa confortablement, sans fausse désinvolture. Il s'enquit de la direction à prendre. Elle répliqua sans le regarder :

— Parking Hoche, deuxième sous-sol, c'est tranquille.

Il fut intrigué par sa façon de parler. Elle avait un accent espagnol ou sud-américain et pas la moindre touche de vulgarité, ni dans la voix ni dans les mots. Ils échangèrent quelques phrases sans importance ; c'était lui, surtout, qui parlait.

Au deuxième sous-sol, elle le guida vers l'endroit le plus isolé, lui commanda de se ranger. La lumière artificielle parut se fixer sur la jeune femme, tandis qu'il préparait la somme convenue. Elle devait avoir vingt-deux ans au plus. Il aurait voulu lui parler, simplement. Lui dire qu'il n'avait pas l'intention d'aller plus loin. Qu'il...

Elle lui indiqua la marche à suivre. Ils s'installèrent à l'arrière de l'automobile. Elle fit basculer ses seins par-dessus son soutien-gorge, remonta sa jupe, lui demanda d'être doux. Il lui promit. Elle répondit qu'ils promettaient tous, mais qu'ils oubliaient tout de suite. La vue soudaine de ce corps dénudé lui donna le sentiment de faire les

11

choses à l'envers, de commencer par la fin. Malgré son détachement, la jeune femme dégageait une sensualité forte et harmonieuse. Il s'interdit de penser davantage et se laissa guider par l'acte qui s'accomplit sans plus d'intensité que le ruissellement d'un robinet d'eau tiède.

Elle se rajusta, le remercia pour sa délicatesse. Ils reprirent place à l'avant de la voiture. Il la regarda et lui sourit.

— Pourquoi me souriez-vous ? lui demandat-elle d'un ton suspicieux.

— Pourquoi ne vous sourirais-je pas ?

— Parce que ce n'est pas l'habitude des hommes.

Il ne répondit pas ; c'était si évident.

Ils sortirent lentement du parking croisant d'autres voitures qui descendaient la rampe.

Il la raccompagna jusqu'à son emplacement. Elle descendit de l'automobile en tirant sur sa jupe, et lui adressa un petit signe de la main pour lui donner congé.

Le lendemain, il descendit l'avenue Foch un peu plus tôt. Elle n'était pas là. Elle n'apparaissait d'habitude qu'à l'heure de sortie des bureaux. Il la vit déboucher du métro, d'une allure un peu empruntée qui tenait à l'étroitesse de son vêtement. Il la laissa rejoindre son emplacement et vint ranger son véhicule près d'elle. Elle ne le reconnut pas et s'installa en lâchant un soupir :

— Parking Hoche, c'est tranquille.

— Je sais, je suis déjà venu hier.

Elle le regarda en fronçant les yeux, comme si elle était myope.

— C'est possible, répondit-elle, je vois tellement de monde.

Elle le dévisagea de nouveau.

— Je crois que je vous remets. Ne m'en veuillez pas.

— Il n'y a aucune raison pour que vous m'ayez remarqué, moi, plus qu'un autre.

Elle détourna la tête, et dit :

— Vous n'êtes pas mal comme homme, et avec une belle voiture comme ça, vous ne devriez pas avoir besoin de payer.

— Pour l'instant, je préfère payer, rétorqua Delamere. Une façon de m'assurer qu'on ne me demandera rien d'autre.

— Vous êtes bizarre.

— Je n'aime pas prendre sans donner quelque chose en échange. Et comme tout ce que je peux offrir c'est de l'argent...

Elle renouvela sa recommandation de douceur et il se montra précautionneux. Il lui sourit ensuite de la même façon que la veille, et cette fois elle ne demanda pas pourquoi.

Il revint le jour suivant. Elle le reconnut tout de suite, mais ils ne prirent pas la direction du parking. Delamere se contenta de lui faire une proposition. Une grosse somme d'argent pour sa

13

présence à ses côtés, quatre jours, dans la campagne anglaise. Elle s'inquiéta de ce qu'on allait exiger d'elle, voulut savoir sur quel autel elle allait être sacrifiée. Il ne lui demandait que sa présence, parmi les arbres, les chiens et les chevaux. Il fut incapable de lui expliquer le sens de sa demande. Elle considéra la somme qui lui était proposée, lui fit répéter qu'il n'y avait aucun piège, et accepta.

Elle devait lui téléphoner le lendemain pour confirmer. Delamere attendit derrière son bureau. À la fin de la journée, elle ne s'était toujours pas manifestée. Il se sentit contrarié, avant de décider que toute cette histoire n'avait pas beaucoup de sens. Que son argent ne l'autorisait pas à sortir cette fille de cet enfer pour l'y replonger quelques jours plus tard. Delamere appartenait à cette catégorie de gens qui ne se racontent pas d'histoires. Qui se voient tels qu'ils sont. Il se trouvait pitoyable d'être réduit à acheter la compagnie d'une femme. Un invalide de la séduction et du désir, incapable de s'avouer que les femmes lui faisaient peur. En même temps, il éprouvait de la tendresse pour cette jeune femme forcément blessée. Tout cela était bien confus. Mais il n'avait le choix qu'entre cette confusion et l'ennui qui le portait depuis six ans comme une bille de bois au fil de l'eau.

Campagne anglaise

Elle appela. Ils se donnèrent rendez-vous le vendredi suivant en fin d'après-midi. Il lui proposa de la prendre chez elle, imaginant que, pour quatre jours, elle emporterait une valise. Elle préféra qu'il la retrouve près d'une ambassade, dans une contre-allée de l'avenue Foch. Il n'insista pas.

*E*lle vint à l'heure. Elle était méconnaissable, habillée comme une fille de son âge, sans maquillage, cachée derrière de petites lunettes rondes qu'elle s'empressa d'enlever dès qu'elle reconnut Delamere. Ils prirent la direction de l'aéroport. De longues minutes s'écoulèrent en silence.

— C'est gentil de votre part d'avoir accepté mon invitation. Votre enveloppe est dans le petit cartable en cuir qui se trouve sur le siège arrière. Prenez-la, à moins que vous ne préfériez que je la conserve jusqu'à notre retour.

— Je vais la prendre maintenant.

La jeune femme se contorsionna pour attraper le cartable pendant que Delamere lui décrivait le programme. Une courte étape à Londres avant de rejoindre en train un petit village, en pleine campagne, entre Cambridge et Newmarket.

C'était là qu'était sa maison. Bantry Hall. Il en

parlait comme de sa raison de vivre. Il s'excusa de ce que ce séjour pouvait avoir d'un peu calme pour une jeune femme de son âge. Il se sentit obligé d'ajouter que l'argent de l'enveloppe ne créait pour elle aucune obligation. D'aucune sorte. Quand elle lui demanda pourquoi il l'avait fait venir, il parut embarrassé. Il répondit qu'il avait besoin de sa présence. Qu'elle lui était utile, comme ces jeunes femmes qui viennent faire la lecture à de vieilles dames qui n'entendent plus que la musique des mots. Delamere était d'une timidité bavarde. Par peur que le silence ne s'installe entre eux. Tout en parlant, il observait la jeune femme, qui lui dit s'appeler Julia. Sûrement, ce n'était pas vrai ; on change son nom quand on vend son corps. Elle ajouta qu'elle était argentine. Et qu'elle parlait anglais. Mais seulement littéraire.

Plus il la regardait, moins il parvenait à admettre les circonstances de leur rencontre. Elle lui paraissait irréelle, un personnage de film. Elle parlait, maintenant ; elle posait des questions, sans jamais répondre aux siennes. Elle lui demanda s'il était psychiatre. Comme on demande à un malade s'il est médecin.

Dans l'avion, Delamere crut nécessaire de lui résumer sa vie. Il lui parla de ses études à Cambridge, de sa mère française, de son père, un lord anglais héros de la bataille d'Angleterre. De sa propre carrière dans l'aviation jusqu'à la guerre du Golfe où il avait décidé qu'il ferait un mort inutile, car cette guerre n'était pas la sienne. Au mot « aéronavale », la jeune femme eut une petite réaction brutale, comme la chair d'un coquillage touchée par la pointe d'un couteau. Puis il en vint à la façon dont il avait fait fortune. Une nécessité pour sauver son domaine.

Après la guerre du Golfe, l'aviation civile avait connu une période de forte récession. Les compagnies possédaient plus d'avions qu'elles ne pouvaient en faire voler. Les appareils inutiles avaient été alignés dans le désert de l'Arizona, moteurs cachetés dans un environnement parfaitement sec, à l'abri de la corrosion. Ces avions pouvaient s'acheter pour presque rien, alors que les pièces détachées conservaient la même valeur. Il avait eu l'idée d'acquérir ces carlingues pour les déshabiller et revendre les pièces une par une.

Delamere avait réservé une chambre pour la nuit dans un luxueux hôtel sur Regent's Park. Une suite, plutôt, dont il avait attribué la chambre à la jeune femme, se réservant le petit salon. Un taxi les conduisit à un restaurant italien de Covent Garden. Un endroit plein de vie dont l'atmosphère fit beaucoup pour combler les longs silences qui ponctuaient cette relation artificielle entre deux êtres que rien, à première vue, n'aurait dû réunir. La jeune femme paraissait déterminée à ne céder à aucune curiosité. Delamere avait payé pour sa présence ; il avait sa présence. Que cet homme ait eu un dessein en la faisant venir, cela était probable, mais peu lui importait lequel. Et tandis qu'il s'engageait dans de longs monologues facilités par les vins italiens, elle le laissait parler, feignant l'intérêt, mais sans jamais le relancer.

Le lendemain, Delamere se leva d'un bond, comme il avait l'habitude de le faire, et frappa à la porte de communication. Comme la jeune femme ne répondait pas, il frappa de nouveau et s'autorisa à pénétrer dans la chambre. Elle reposait sur le ventre, dénudée jusqu'au bas du dos. Ses cheveux épars sur l'oreiller recouvraient son poing serré qui venait s'appuyer contre sa bouche. Delamere la regarda quelques secondes. La regarda, l'admira. Il connaissait le sexe de cette femme, il avait maintenant devant les yeux une silhouette recroquevillée sur des peurs d'enfant. Il ne ressentait aucun désir pour elle. De la tendresse plutôt, et la tendresse ne figurait pas dans le contrat. Comme il approchait sa main de l'épaule de la jeune femme pour la réveiller, elle sursauta en relevant son drap.

— Notre train pour Bantry est dans une petite heure, dit-il. Je crois qu'il est temps de vous lever.

La jeune femme semblait revenir de lointaines contrées et mit un moment à réaliser où elle se trouvait. Elle s'assit dans son lit, les yeux gonflés de sommeil. Delamere lui tendit une tasse de café. Quand il lui parut qu'elle commençait à émerger, il lui prit la main pour lui dire :

— Vous sentez-vous capable d'être prête dans l'heure ? Le train de neuf heures relie directement Londres à Bantry, mais si vous le voulez, nous pouvons, moyennant un changement, prendre celui de dix heures et demie.

— Je serai prête dans quelques minutes, répondit la jeune fille avec un effort visible, tout en buvant son café à petites gorgées.

Elle se leva et gagna la salle de bains, nue, sans hâte. Pendant qu'elle se préparait, Delamere resta songeur. Il pensait que ce corps était parfait, équilibré, sans le moindre excès ni cette vulgarité qui flatte le désir à bon marché. Il n'avait cependant aucune intention de se prévaloir du contrat passé entre eux. Ni de la séduire. Il n'avait aucune intention et cet état l'enchantait.

*L*e train filait à travers la campagne.

— Vous voyez, Julia, dit Delamere d'un ton qu'il voulait dégagé, j'ai passé beaucoup de temps dans les avions au cours de mon existence, et pourtant c'est dans ce petit train que je me sens le mieux. Il me ramène vers le seul endroit où j'ai l'impression de me comprendre un peu. Ou, en tout cas, de ne pas me subir tout à fait. Je suis désolé de ne vous poser la question que maintenant, mais j'espère que vous aimez la campagne. Autour de la maison, qui est depuis toujours la demeure des seigneurs de Bantry, il y a au plus une quinzaine d'habitations, trois commerces, dont l'un n'ouvre qu'au printemps au retour des propriétaires de résidences secondaires. Un joli village, bien conservé. Rien n'a changé depuis le milieu du XIXe siècle, et je m'attache à ce que rien ne change.

La gare de Bantry semblait, en effet, n'avoir connu aucune transformation depuis sa construction, à l'apparition du chemin de fer. Elle était posée au milieu du temps, dans l'attente du voyageur providentiel qui justifierait son existence.

Delamere et Julia furent les seuls à descendre du train. Un homme d'un certain âge les attendait, planté en plein soleil, droit comme un ancien sous-officier. C'était Robert, l'homme à tout faire de la propriété. Il s'enquit de leur voyage comme s'ils arrivaient des Indes ou d'Australie. Puis il prit une figure de circonstance pour annoncer que la Jaguar de 1958 de feu lord Delamere venait de rendre l'âme. « Ni râle, ni plainte, monsieur : une mort de vieillesse comme on la souhaite à chacun. » Il regrettait beaucoup que le petit trajet jusqu'au domaine dût se faire à trois de front dans une land-rover qui sentait la graisse.

Bantry Hall était une construction imposante, juxtaposition de styles imbriqués avec bonheur depuis l'époque Tudor jusqu'à celle de la reine Victoria, et sur laquelle chaque génération s'était efforcée de laisser sa marque. La brique prédominait, agrémentée d'une quinzaine de fenêtres en façade qui donnaient une idée de l'espace intérieur de la demeure. Si l'on apercevait le bâtiment depuis la petite route qui traversait le village, l'entrée était assez modeste et donnait sur une allée droite entourée de jardins plantés avec sobriété. De l'autre côté, le bâtiment donnait sur un étang qui s'enfonçait dans les terres comme un bras de mer et offrait au paysage un peu de ce mystère propre aux régions de lacs. Sur la droite de l'étendue d'eau se dressaient les communs, dont certains semblaient avoir particulièrement souffert de l'usure du temps et des cicatrices insidieuses de l'eau ruisselant à la recherche de la faille. Devant, à perte de vue, des prés et des paddocks délimités par des doubles barrières de bois, pour certaines recouvertes de mousse.

En descendant de voiture, Delamere se sentit radieux et un peu fébrile, comme chaque fois qu'il présentait son domaine à un nouveau visiteur.

Deux grands chiens accoururent, tournant autour de la voiture en remuant la queue, tout à leur joie et leur curiosité. Le premier était un bull-mastiff de couleur bringé. La famille Delamere avait contribué à la création de la race au XIXe siècle, lorsqu'il s'était agi d'élaborer un chasseur de braconniers en croisant mastiff et bouledogue. Le second était un lévrier d'Irlande gris, chien dont aucune grande maison anglaise ne peut faire l'économie tant il est emblématique de l'aristocratie de l'île, la race ayant été stabilisée, dit-on, un siècle avant Jésus-Christ. Il y avait dans le comportement de ce chasseur de loup une volonté manifeste de se démarquer du molosse, qu'il semblait considérer comme un chien de garde-chasse.

Les deux bêtes, après avoir salué leur maître, s'intéressèrent à la jeune femme qui s'accroupit pour recevoir leurs marques d'affection.

— Faites attention, dit Delamere, le mastiff bave autant qu'un comprimé effervescent produit de bulles. Mais c'est un brave chien. Le Wolfhound est moins honnête et plus suspicieux, prenez garde qu'il ne vous découvre de l'affection pour moi et ne devienne jaloux. Je plaisante, vous n'avez rien à craindre.

Il lui prit le bras et ils se dirigèrent vers la grande entrée.

— Je suis content de voir que vous aimez les animaux, reprit-il. Je crois qu'on peut dire que toute la propriété est organisée autour d'eux. Comme vous le savez, les chiens et les chevaux sont pour les Anglais une passion traditionnelle, presque obligée. Qui est probablement la contrepartie de cette distance que nous aimons conserver entre humains.

Après que Robert eut poussé l'imposante porte en chêne, l'entrée apparut à la jeune femme qui précédait Harold. C'était un vaste hall circulaire qui distribuait les pièces du rez-de-chaussée. Hormis quelques trophées de chasse un peu macabres comme une tête de grand cerf, les murs étaient recouverts de tableaux anciens, de gravures et de photographies, juxtaposés sans ordre apparent et qui s'élevaient jusqu'aux corniches du plafond à près de six mètres du sol. La peinture la plus imposante représentait un pur-sang gris, dont l'œil arrogant indiquait assez qu'il s'agissait d'un étalon. La jeune femme s'arrêta devant le tableau.

— C'est le chef de la lignée de nos pur-sang, expliqua Delamere. Le père de mon arrière-grand-père en fit l'acquisition aux ventes de Newmarket. Il eut d'excellents résultats en course, particulière-ment en steeple. On dit même qu'il a réussi à expédier outre-tombe deux de ses cavaliers, le second désarçonné au galop par un écart du che-val apeuré par une tourterelle qui avait frôlé sa tête. L'aïeul a dû payer fort cher pour ce tableau en pied, ce qui explique qu'il n'y ait aucune huile de sa femme — le seul membre de notre arbre généalogique, avec ma mère, qui ne soit pas repré-senté d'une façon ou d'une autre dans cette maison.

La jeune femme semblait fascinée par cette succession de portraits d'une même famille.

— C'est curieux, dit-elle, chez tous les hommes qui sont ici, il y a quelque chose de commun dans le regard. Dans la forme des yeux.

— Vous voulez dire que nous avons tous en commun des yeux de cocker, très légèrement en accent circonflexe ?

— C'est un peu cela, répondit la jeune femme en souriant. Chez certains, c'est laid, et à d'autres cela donne du caractère.

— Je préfère ne pas savoir dans quelle catégorie vous me rangez. Venez, je vais vous présenter à la maîtresse des lieux, Miss Kensington.

En regardant la jeune fille s'attarder d'objet en objet, Delamere eut le sentiment de voir une étudiante déambuler dans un musée. Elle n'avait plus rien de la prostituée du Bois de Boulogne, et tout, au contraire, d'une jeune fille d'excellente famille. Il lui semblait parfois qu'elle s'apprêtait à livrer un peu d'elle-même, mais dès qu'elle percevait cette attente chez son hôte, son expression se durcissait et elle s'éloignait de lui.

Une vieille porte sculptée donnait sur une immense cuisine où trônait une grosse cuisinière en fonte, de la taille d'une chaudière de locomotive. Le centre de la pièce était occupé par une longue table en chêne aux pieds sculptés en forme de sabots de cheval, recouverte d'un épais plateau de marbre gris. Un canevas circulaire suspendu au plafond par quatre chaînes métalliques reliées à un treuil supportait de nombreux ustensiles de cuisine anciens, qui faisaient face, de l'autre côté de la pièce, à un large vaisselier en bois peint.

Miss Kensington préparait le déjeuner. C'était une femme d'un certain âge. Elle sourit à Julia.

— Mary, lança Delamere, je te présente Julia, qui nous fait la gentillesse de venir pendant quelques jours nous distraire de notre solitude. Julia, je vous présente Mary, qui veille à la destinée de cette demeure, ainsi qu'à celle de ses habitants. Mary est la seule personne qui en connaisse sur cette demeure autant, si ce n'est plus, que notre fantôme – car, j'avais oublié de vous le dire, nous avons un fantôme à Bantry Hall. Ai-je raison, Mary ?

— Je crois que oui, Harold, mais je ne trouve pas très délicat d'effrayer Julia avec cet hôte au demeurant parfaitement inoffensif.

— Aucune peur à avoir, répondit Delamere. Ce fantôme est présumé être celui de Lady Élisabeth, qui fut emmurée vivante en 1572 dans la partie la plus ancienne de Bantry Hall pour avoir commis l'adultère avec un seigneur du voisinage. En vérité, je crois que l'existence des fantômes est une chose rassurante. Cela conforte l'idée d'une vie dans l'au-delà, ce qui est plutôt une bonne nouvelle. Une vie sans relation avec nos péchés commis ici-bas, si j'en juge par le caractère enjoué de notre fantôme. Si tu le permets, Mary, nous allons terminer la visite. À quelle heure veux-tu que nous déjeunions ?

— Treize heures, si cela vous convient, répliqua la gouvernante. Voulez-vous que je demande à Helen de vous servir dans le petit salon ?

— Oh ! non, je crois qu'il serait moins formel que nous déjeunions tous ensemble dans la cuisine. Helen fera le service.

En pénétrant dans le salon après avoir traversé de nouveau le grand hall, Harold parut lassé de faire le guide. Il se laissa glisser dans un grand fauteuil club en cuir fauve et invita Julia à l'imiter. Puis il se releva, ouvrit un petit meuble qui ressemblait à une très ancienne épinette pour en sortir deux verres.

— Qu'est-ce que je vous sers ? Brandy, un alcool de pêche, ou n'importe quelle douceur alcoolisée acceptable pour une jeune femme à cette heure ?

— Qu'est-ce que vous buvez, vous ? s'enquit Julia.

— Un double scotch, j'en ai bien peur.

— Alors, je prendrai la même chose.

Après avoir servi la jeune femme, il se laissa retomber assez lourdement dans le fauteuil, et demanda :

— Vous n'avez pas encore tout vu, mais quelle sont vos premières impressions ?

— Très grand, très anglais, fit-elle en souriant.

— Je ne sais pas si je me trompe, mais j'ai le sentiment que vous vous détendez depuis que vous êtes ici. Vous me faites penser à ces soldats de la guerre de 14, ahuris par les horreurs du front et qui retrouvaient instantanément leur quiétude, même si elle n'était qu'éphémère, lorsqu'ils revenaient en permission dans la campagne anglaise. Votre métier est une sorte de front, n'est-ce pas ?

La jeune femme ne répondit pas ; elle gardait le regard fixé sur les étangs à travers une grande fenêtre. Harold se fit la remarque qu'elle avait un nez long et pointu, légèrement relevé au bout.

Elle se tourna vers lui, le fixa quelques secondes avant de redéposer son regard sur la ligne d'horizon, grand trait tiré entre les étangs et le ciel.

— Je n'ai pas l'habitude de parler de moi, dit-elle, je suis désolée. Vous non plus, d'ailleurs, vous l'avez dit vous-même.

— C'est vrai, ou, du moins, c'était vrai. C'est pourtant ce que je vais faire, je crois. Et peut-être est-ce pour cela, après tout que j'avais souhaité votre présence ici.

La jeune femme s'installa plus profondément dans son fauteuil. Il y vit un encouragement, et reprit :

— Sachez, pour commencer, que Mary est la femme qui m'a élevé. Ma mère est morte lorsque j'avais huit ans ; elle en avait trente-trois, et mon père cinquante-cinq. Il avait cru, j'imagine, qu'en épousant une femme de vingt-deux ans sa cadette, il se préparait une vieillesse confortable. Mauvais calcul ! Elle a succombé à un cancer de l'enveloppe des cellules nerveuses, une maladie rarissime chez quelqu'un d'aussi jeune. Mon père, lui, était atteint d'une forme d'alcoolisme assez particulière, qui touche les hommes dans les périodes qui suivent de grandes frayeurs. Je crois qu'il avait contracté cette manie pendant la bataille d'Angleterre, alors qu'il était lieutenant dans la Royal Air

Force. Le phénomène s'est accentué après la guerre, quand l'ennui a succédé à la peur, pour se transformer à partir de son retour à Bantry en une forme d'alcoolisme mondain qui consistait à porter un toast chaque fois qu'il rencontrait un être humain. Il ne m'en a parlé qu'une seule fois, et au milieu d'une nuit. Il s'était effondré sur mon épaule pendant que je le reconduisais dans sa chambre. D'une voix d'ivrogne, passablement différente de celle qu'on suppose à un lord anglais, il m'a dit : « Si je bois, monsieur mon fils, c'est tout simplement parce que je suis terrorisé par la mort. » J'avais dix-huit ans, et comme je soulignais le caractère paradoxal de sa réponse, il conclut : « C'est un paradoxe, en effet, et je crois bien que c'est là le propre de l'homme civilisé. » Le paradoxe a pris fin quelque mois plus tard, victime d'une phlébite, issue elle-même paradoxale, puisque les médecins prétendent que le whisky favorise la circulation sanguine. Il faut également que vous sachiez que mon père a été un paléontologue renommé. On ne pouvait pas lui reprocher, comme à beaucoup d'aristocrates anglais d'avoir un ou deux siècles de retard : il vivait entre trois milliards et demi d'années en arrière, période à laquelle apparaissent les premières traces de vie sur la terre, et un million et demi d'années avant Jésus-Christ, moment où l'homo erectus se montre à peu près abouti. Ses théories sont très démodées, maintenant. Voilà comment Mary est passée du rôle de mère supplétive à celui de régente, et cela à une époque délicate pour Bantry Hall, mon père ayant laissé derrière lui un montant de dettes assez significativement supérieur à celui des actifs réalisables et disponibles, comme disent les comptables. Mary a géré les choses au plus près, jusqu'à ce que je reprenne en main nos affaires et que quelques dépeçages d'avions nous permettent de retrouver l'insouciance de jadis.

— Alors, vous considérez Mary comme votre mère ? demanda la jeune femme.

— Non, ma mère était ma mère. Mary, elle, a su être tout sans jamais s'imposer, avec une efficacité qui n'a d'égale que sa délicatesse. Avez-vous remarqué son regard ? Avez-vous noté cette façon qu'elle a de saluer une autre femme sans introduire la moindre rivalité ?

— J'ai vu, dit Julia. Je crois en effet que c'est une femme généreuse.

— Vous pourriez la connaître des années sans jamais avoir à revenir sur ce jugement. Voilà, vous en savez suffisamment à présent pour m'en dire un peu à votre tour.

La jeune femme resta un long moment silencieuse, avant de murmurer :

— Ainsi, ce serait là le drame de votre vie ?

— Qui vous a parlé de drame ?

— Je ne sais pas, mais perdre sa mère à huit ans, puis succéder à un père alcoolique et, qui plus est, endetté, c'est assez dramatique, je suppose.

31

— Les faits sont probablement dramatiques en eux-mêmes, mais je ne crois pas qu'ils se soient imprimés de la sorte dans ma psychologie d'enfant.

— C'est étrange, votre mère est morte au même âge qu'Eva Peron.

— C'est vrai, dit Delamere, je n'avais jamais fait le rapprochement. Mais, par bonheur, la dépouille de ma mère n'a pas connu les mêmes péripéties que celle d'Evita.

— De quoi voulez-vous parler ? demanda Julia.

— Vous n'avez jamais entendu parler des aventures du cadavre d'Evita ? C'est pourtant un épisode de votre histoire. Pas le plus glorieux, c'est certain. C'est même assez sordide, et je ne veux pas vous imposer cette histoire.

— Vous pouvez y aller ; quand il s'agit de l'Argentine, rien ne peut m'étonner.

Delamere fut surpris par l'amertume sèche qui était passée dans sa voix. Il l'enregistra comme une chose sur quoi il faudrait revenir. Puis, il entreprit de conter les avatars du cadavre de cette femme qui avait ébloui tout un peuple. Il lui raconta que Peron avait payé cent mille dollars un médecin spécialisé dans la conservation des cadavres pour rendre la dépouille de sa femme imputrescible, et cela sans l'embaumer. Après plusieurs semaines d'un traitement à l'acide, le corps avait retrouvé sa souplesse, et le processus de décomposition avait été arrêté pour toujours. Lors du coup d'État de la première junte militaire, le corps avait été dissimulé par les syndicalistes de la CGT dans leur bâtiment. Ce local avait été envahi par l'armée qui avait enlevé le cadavre pour soustraire à l'opinion péroniste cette précieuse relique. Après plusieurs cafouillages, un colonel, sidéré par l'exceptionnel état de conservation de ce corps qui ne présentait aucune raideur cadavérique et qui semblait endormi pour l'éternité, se l'était approprié. Devant sa persistance à vouloir garder pour lui le corps de la jeune défunte, une enquête avait été diligentée, qui avait montré que l'officier avait abusé de la dépouille et l'avait maltraitée. Le cadavre avait été ensuite enterré par les militaires dans un cimetière italien, sous un faux nom, puis ramené plusieurs années après à Buenos Aires et enterré à huit mètres de profondeur.

— Je ne crois pas avoir jamais entendu d'histoire plus écœurante, qu'en pensez-vous ? demanda Delamere pour conclure.

La nuit sembla tomber sur le visage de la jeune femme comme un voile noir plaqué par le vent. Elle se leva brusquement, se précipita vers la porte-fenêtre et se tint campée là, les poings serrés, ne sachant plus si elle devait partir en courant vers les étangs ou se réfugier dans une pièce quelconque de la vaste demeure. Finalement, elle se retourna vers Delamere et s'adressa à lui d'une voix chaude et tremblante :

— Il y a pire que cette histoire, bien pire ! Cessez de vous faire peur comme ces enfants qui se promènent la nuit dans les cimetières en se racontant des histoires de feu follet !

Delamere voulut protester, mais la jeune femme s'était précipitée à l'extérieur et s'éloignait en direction des communs. Il s'élança après elle. En arrivant à sa hauteur, il fut surpris par la sérénité de sa démarche et par le sourire luxueux qu'elle lui adressa. Des larmes avaient coulé de ses yeux fiers, mais elle avait su faire en sorte qu'elles se perdent dans les gouttes qu'une fine pluie commençait à distiller.

— Je suis confus, déclara Delamere, vraiment confus, et pour être franc, je me sens assez ridicule. Je suis... je suis un peu enfermé dans cette espèce d'intellectualisme inconséquent qui s'autorise à survoler avec nonchalance des sujets... qui peuvent être graves pour les autres. Voilà, je suis d'un ridicule... anglais. C'est ça, ridiculement anglais. Comment pourrais-je me faire pardonner ?

La jeune femme se saisit de la perche tendue par Delamere et répondit :

— En ne me posant plus de questions, si cela vous est possible.

— Soit, fit-il, soulagé d'un pardon si rapide. Désormais, je propose que nous parlions de broutilles, d'un ton badin. En attendant, je crois qu'il est l'heure de déjeuner.

Le repas se déroula dans la cuisine selon une tradition qui remontait aux temps où châtelains, hommes d'armes et domestiques assiégés par des pillards partageaient la même table de chêne, liés par un sort dont l'incertitude abolissait pour un instant les différences de condition. La campagne anglaise s'était pacifiée, la coutume était restée.

Delamere se montra très attentionné à l'égard de Julia. Puis il l'emmena visiter son domaine.

Harold Delamere semblait n'appartenir à aucun siècle. Il y avait quelque chose d'émouvant chez cet homme qui dépensait des sommes impressionnantes pour installer quelques instants un personnage de chair au milieu de ses ombres.

Julia, de son côté, aurait probablement voulu profiter de ce moment simplement, se laisser aller à être un peu elle-même, mais elle en paraissait incapable, comme livrée à un mal lancinant qui se rappelle à sa victime chaque fois que celle-ci a une velléité de bien-être.

Ils longèrent l'étang par un chemin de terre. Canards et sarcelles se prélassaient sur les rives. Le soleil de la mi-journée renvoyait sur l'étang une image trouble de la demeure, qui disparaissait parfois comme en un fondu de cinéma.

— Je voudrais vous présenter l'être vivant le plus ancien de la région, dit Delamere. Le doyen de la nature.

Une cinquantaine de mètres plus loin, il s'arrêta au pied d'un arbre immense qui semblait trôner sur la forêt comme un vieux roi débonnaire et assoupi.

— Ce chêne, assure-t-on, aurait, un peu plus de mille ans, expliqua-t-il. Il est même antérieur à l'église de Bantry, qui date du XIIᵉ siècle.

L'arbre se dressait dans une petite clairière où apparaissait sans ordre une dizaine de tombes signalées par un léger renflement de terre surmonté d'une modeste croix de bois sur laquelle on avait cloué une plaque de métal ovale, gravée du nom et des dates du défunt.

— Julia, je vous présente ma famille.

Il poursuivit, en souriant :

— Ou plutôt, ce qu'il en reste. Vous voyez, nous avons pratiqué avant tout le monde le retour à la terre. Pas de caveau en ciment. Un cercueil, de planches à même le sous-sol entre quatre murs d'argile. En moins de quinze jours, les os sont nettoyés par les vers comme un ivoire précieux. Je soupçonne que l'alcool ingurgité par mon père tout au long de sa vie, à défaut de lui avoir assuré une plus grande longévité sur terre, n'aura pas retardé sa décomposition. On dit même que le standard des alcooliques anonymes a été submergé d'appels de petits vers devenus dépendants.

Il lâcha un petit rire aigu, comme pour se défaire de cette mauvaise plaisanterie, que Julia fit mine de ne pas avoir entendue.

Elle l'écoutait à peine, attentive au bruissement des feuilles, et comme apaisée par toute cette nature.

Arrivés au bout de l'étang, ils prirent une allée sur la droite. Elle menait à un grand bâtiment de pierre aux ouvertures en ogives gothiques et dessiné comme un fer à cheval autour d'une cour pavée. Un homme aux larges épaules se retourna pour les saluer. Il tenait en appui sur son genou le pied d'un *shire*, un cheval d'une tonne, mesurant près de deux mètres au garrot et capable — il l'avait démontré au siècle précédent — de tracter seul une diligence de poste renfermant quinze bourgeois.

Ce maréchal-ferrant en sueur, parant le sabot d'une bête conservée comme une relique monumentale, était à lui seul l'image de l'Angleterre immuable, peu soucieuse de l'utilité des choses. Les chiens rejoignirent leur maître et son invitée en remuant la queue.

Avant de pénétrer dans l'écurie, Delamere prit la précaution d'avertir la jeune femme :

— Je ne connais que deux réactions possibles à cet effluve acide qui jaillit des boxes : soit le dégoût, soit une ivresse irrépressible, parce que le cheval est affaire de fibres. Si vous n'avez aucun goût pour cet animal, je ne vous en tiendrai pas rigueur, mais entrer ici n'aurait pas plus de sens que descendre dans une cave avec un buveur d'eau.

— Je pratique les chevaux depuis mon enfance, répondit la jeune femme.

Quelque chose comme un défi était passé dans sa voix, et ses yeux semblaient s'ouvrir, ses narines palpiter.

— Enfin un indice ! s'exclama Delamere. Ou, en tout cas, un point commun...

L'écurie faisait penser à une nef d'église. Douze boxes de chêne symétriques étaient répartis de chaque côté d'une circulation pavée. À chaque extrémité, six stalles séparées par des cloisons de bois sculpté abritaient les pensionnaires dont la semence avait le moins de valeur. Le cheval du premier box avait une encolure basse qui balançait sur un corps efflanqué, juché sur quatre jambes raides comme des pieds de chaise. La tête restait fine, malgré des salières sans fond qui ne laissaient aucun doute sur l'âge de l'animal. L'œil au reflet mat semblait blanchi par une pellicule d'une étrange matière translucide.

— C'était le cheval de mon père, commenta Delamere. Trente-trois ans en décembre prochain ; une belle longévité, probablement due à sa sobriété et au ménagement dont il a bénéficié. Un hongre de belle taille, un peu tassé aujourd'hui, mais près d'un mètre quatre-vingts au garrot, ce qui n'est pas si fréquent pour un cheval de selle. J'appréhende sa mort, qui ne devrait malheureusement pas tarder. Ce sera un peu comme si mon père s'en allait une seconde fois.

Quiconque n'a pas de goût particulier pour les chevaux comprend mal ce que peut ressentir le passionné devant le son émis par le naseau dilaté d'un pur-sang au souffle court.

— Je vous présente Balmore, lança Delamere en montrant à Julia le cheval suivant. Huit ans. L'histoire la plus étonnante de mon écurie. Je l'ai acheté lors d'une vente de *yearlings* à Kildare, en Irlande. Cher : les Irlandais ne donnent pas leurs étalons. Je l'ai mis aux courses à Newmarket à l'âge de trois ans. Aucun jockey ne voulait le monter : trop dangereux, instable, se cabrant parfois au point de tomber à la renverse. Il fallait cinq commis pour le faire entrer dans sa boîte au départ. Bref, en six mois, pas un penny de gain. J'ai décidé de le faire castrer. Du jour au lendemain, il a tout raflé, en Angleterre, en France, en Irlande et même en Australie. Sa carrière finie, il est revenu à la maison. Aujourd'hui, sa valeur c'est le prix de sa viande, huit cents livres peut-être. Étalon, il vaudrait certainement près de dix millions de livres. Sorti des courses, un hongre ne vaut plus rien. Sauf ici, où la reconnaissance n'est pas un vain mot.

Le cheval se tenait au fond de son box ; la tête

balançait légèrement de bas en haut, mais son apparence donnait une étonnante impression de fixité. Il y avait dans son regard la mélancolie, l'amertume et la quiétude de ceux que la notoriété a quittés et qui, après avoir si longtemps attiré les regards, prennent le temps d'observer le monde. La jeune femme ouvrit la porte en chêne et la poussa sans la refermer. C'est à ce geste que Delamere vérifia sa connaissance des chevaux, qui veut qu'on ne s'enferme jamais avec eux, ni qu'on leur laisse la voie libre. Elle se plaça contre la bête, le regard tourné dans la même direction, l'épaule sous son encolure, lui caressant la joue opposée. Elle resta ainsi plusieurs minutes, immobile. Il n'osa pas la déranger, fasciné par son regard lointain, et resta accoudé sur le balustre. Il comprenait parfaitement ce geste qu'il avait lui-même fait si souvent lorsqu'il se sentait à bout et éprouvait le besoin de ce contact où le cheval joue le rôle d'une prise de terre qui absorbe le mauvais magnétisme qui accable l'homme.

Il aurait aimé s'insinuer dans l'énigmatique psychologie de cette femme qui lui avait donné son corps pour de l'argent et qui ne lui donnerait son mystère pour rien au monde. Le contraire des femmes avares de leur corps qui payent pour se faire psychanalyser. Le monde latin contre l'ordre anglo-saxon structuré par l'influence judaïque. Il se dit qu'il avait le temps, encore trois jours, et que toute la volupté de leur relation était là, dans cette improbable découverte l'un de l'autre.

Le troisième cheval était un étalon pur-sang noir, d'un mètre soixante au garrot au plus. Il s'acharnait à mordre les barreaux métalliques de son box, les yeux injectés de ce lointain sang arabe qui l'avait ennobli. Tout, chez cet animal, semblait à la limite : sa peau transparente, ses muscles tendus, ses pattes de héron et ses sabots de faon.

Harold prit cet air enjoué qu'il aimait afficher lorsqu'il s'apprêtait à partager quelque chose.

— Ce cheval paye à lui seul la plus grande partie des charges de la propriété. Il a couru deux ans victorieusement avant qu'une fourbure ne l'écarte des pistes. Il a fait assez classiquement la monte les deux années suivantes, jusqu'à ce que me vienne l'idée de le promouvoir comme étalon de croisement avec les Criolos pour faire des poneys de polo. Il avait la taille idéale pour ça. Depuis, on s'arrache sa semence de Newmarket à Sydney, en passant par Buenos Aires.

À ce nom, la jeune femme se referma. Puis elle murmura sourdement :

— Huit mille dollars la monte en sperme congelé, c'est le tarif, n'est-ce pas ?

— Comment le savez-vous ? demanda Harold, interloqué.

— Huit mille dollars, ça fait quarante mille francs, non ?

— C'est ça, mais pour le sperme congelé, comment savez-vous ?

— Parce qu'à moins de faire la monte sur place, je ne vois pas comment vous pourriez faire pour envoyer de la semence fraîche.

Delamere examina la jeune femme comme si elle lui dissimulait quelque chose.

— Vous semblez bien connaître les chevaux, Julia ?

— Je le crois, oui, répondit la jeune femme.

Delamere comprit qu'il n'en saurait pas davantage. Tout en regardant la silhouette sensuelle de Julia se diriger vers la sortie des écuries, il pensa avoir trouvé un premier élément de réponse à la question qu'il se posait sur les raisons de ce contre-emploi qui la poussait à se prostituer. Ce n'étaient évidemment ni l'argent, ni le vice, mais une irrépressible nécessité de souiller sa relation à l'homme. Il s'en tint là, satisfait de son avancée.

*P*our le dîner, qui réunissait quelques proches de Delamere, Mary avait dressé la table dans le salon qui donnait sur les étangs. Harold trônait en bout de table servant généreusement le vin à ses invités. Tradition désuète et simplicité débonnaire faisaient ici bon ménage. Les invités constituaient un échantillonnage représentatif de cette bulle sociale anglaise qui vit loin de la sourde rumeur de l'industrie finissante et qui consacre l'alliance du capital et de l'esprit contre un monde du travail industrieux, sale et dépassé qui s'acharne désespérément à préserver ses effectifs. Il y avait là un écrivain quadragénaire au teint de plâtre qui fumait cigarette sur cigarette. Une publiciste londonienne de trente ans, cadenassée dans des vêtements de prix qui mettaient en valeur ses formes généreuses. Un financier sans âge, visage poupon aux tempes grisonnantes, dans un costume sombre à fines rayures. Tout ce petit monde parlait avec conviction et parfois même frénésie de sujets de société triviaux, défilant comme des unes d'hebdomadaires. La conversation devint vite assommante, au point que Julia, qui n'y avait pris part à aucun moment, détourna son regard de l'assemblée pour se laisser porter par ses songes. Delamere, qui avait donné le change pendant la première partie du repas, semblait lui aussi avoir la tête ailleurs.

Pour avoir tacitement considéré Julia comme un nouveau produit de la fantaisie de Harold plutôt que comme une personne humaine à part entière, aucun des convives ne s'était intéressé à elle. Ce n'est que tard dans la soirée que vint une question sur ce qu'elle faisait dans la vie. Chacun se serait évité l'ennui d'écouter la réponse, si Julia n'avait répondu avec beaucoup de calme qu'elle se prostituait.

La jeune femme se leva ensuite, et sortit de table sans hâte. Ils la regardèrent partir, consternés, puis la jeune publicitaire se tourna vers Delamere et lui dit :

— Je sais pourquoi ça n'a jamais marché pour moi. J'imagine que j'avais l'inconvénient de m'offrir gratuitement.

Les convives quittèrent la propriété, ivres d'alcool et de mots. Julia n'était pas revenue.

Harold eut la tentation de se précipiter dans la chambre de la jeune femme, mais il y renonça. Il monta dans le petit salon qui se trouvait à l'étage, se servit un double bourbon, alluma une cigarette et mit de la musique. Celle de Purcell pour les funérailles de la reine Mary. Une musique qui rend la mort sinon acceptable, du moins fréquentable. Il profita des vapeurs de l'alcool pour se regarder tel qu'il était devenu : un aristocrate désuet, une antiquité passée de mode sans espoir de le redevenir un jour.

Delamere aimait les phrases définitives. Par exemple, celle qui assure que l'intelligence n'est rien sans la morale. Il avait les deux. Qui ne sont rien sans le courage. Le courage lui manquait. Pas le courage physique. Il l'avait montré autrefois dans l'aéronavale ; il n'avait jamais eu peur de la mort. Mais il y avait cette grande lassitude qui s'apparente à une peur de vivre.

Il s'endormit dans son fauteuil, la tête de côté, un verre à la main. Au milieu de la nuit, il se hissa jusqu'à sa chambre, à tâtons, incapable de trouver les interrupteurs successifs. Il se heurta au montant de son lit à baldaquin, un lit baroque, court et inconfortable, qui datait de l'époque où l'on dormait assis, la position couchée étant réservée aux morts.

La lumière du chevet s'alluma. Julia était là, dans son lit, couverte jusqu'aux épaules, livide sous son teint mat.

46

— Vous m'avez fait peur, dit Delamere, la voix pâteuse d'alcool et de sommeil, je vous ai prise pour la comtesse emmurée. Je l'ai déjà vue traverser la chambre, mais elle n'a jamais poussé l'intimité jusqu'à se glisser dans mes draps.

La jeune femme vint près du bord pour permettre à Delamere de s'installer. Il se laissa tomber d'un bloc.

— J'espère que je n'ai pas gâché la fête ? demanda Julia.

— Pas le moins du monde ; les Anglais savent rebondir en toutes circonstances et nous sommes passés sans transition de quelques secondes de silence consterné à un flot de paroles sans consistance. Ce petit monde qui m'entoure commence un peu à me lasser. Mais qu'est-ce qui me vaut le plaisir de votre visite ? Vous vous êtes égarée, ou bien aucune des seize autres chambres ne vous convient, ou...

— Je suis venue payer ma dette répondit sèchement la jeune femme.

— De quelle dette parle-t-on ?

— Vous m'avez donné quarante mille francs pour quatre jours, je trouve normal de passer la nuit avec vous.

Delamere la fixa d'un air circonspect.

— Le contrat ne stipulait pas d'exécution physique, dit-il. À aucun moment, il n'a été convenu que cette somme correspondait à une disposition systématique de votre corps. C'est un malentendu.

— Vous êtes un pervers.

Delamere eut l'expression de celui qui s'attend à serrer une main et qui reçoit un coup de poing.

— Vous me proposez de coucher avec vous, je refuse, et je suis un pervers ? protesta-t-il. C'est le monde à l'envers !

— Non, reprit la jeune fille. Vous voulez posséder mon âme d'abord, pour prendre peut-être, un jour, plaisir à mon corps. C'est là que se trouve la perversité. La seule possession de mon corps ne vous satisfait pas, vous n'y voyez aucun plaisir ; il vous faut faire toute cette démarche pour arriver au plaisir. Il ne vous suffit pas d'avoir acheté mon corps, vous voulez violer mon âme.

— Je vous trouve injuste, je n'ai pas la moindre intention de violer votre âme !

— Alors, pour quelle raison cherchez-vous à savoir pourquoi je me prostitue ?

— Je ne crois pas avoir jamais formulé une telle question, répondit Harold, embarrassé.

— Je vous vois faire avec vos mines d'intellectuel inquisiteur et blasé ! Une fois la réalité reconstituée, vous parviendrez peut-être à rassembler les lambeaux de votre désir. J'en serai ravie pour vous, mais moi ça ne m'intéresse pas. Je ne suis pas un cobaye, et je n'ai que faire de vos manies de voyeur.

Delamere marqua une pause avant de poursuivre :

— À ce stade, j'ai besoin d'un verre. Les Anglais ne sont naturellement structurés que pour le flegme ou l'extrême violence, et je suis mal à l'aise entre les deux. Voilà une conversation relativement déprimante.

Il se leva, sortit une bouteille de pur malt d'un meuble d'angle aménagé en bar et remplit deux verres.

— Toute cette histoire est un peu pitoyable, je l'avoue. Ça commence comme un mauvais film américain. Une jeune prostituée, un riche Anglais ça ne vaut pas un penny... Pour être franc, — car c'est l'heure de l'être —, il est très probable que ma mère ait été elle-même une prostituée au moment où elle a connu mon père. Aucune certitude à ce sujet, mais de fortes présomptions. Mon père n'était pas le genre à faire la cour. Plutôt le style à s'envoyer cinq ou six bourbons pour se donner le courage de faire une déclaration d'amour à une femme, et de finir ivre en demandant : « C'est combien ? » Il n'existe d'ailleurs pas de portrait de ma mère dans le hall d'entrée. Preuve qu'elle n'était pas de notre monde. Mais cette coïncidence n'explique pas votre venue. Je suis resté six ans sans fréquenter de femmes. J'ai décidé de... renouer. Sans séduction. Sans sentiment. Contre rémunération. Un criminel qui revient sur le lieu du crime dans l'espoir d'y trouver la raison de son acte. Je ne vous ai pas fait venir pour comprendre le cheminement intellectuel d'une prostituée, c'est sans intérêt. Vous voulez savoir la vérité ? Les femmes me terrorisent. Mais je ne puis me résoudre à y renoncer. Je vous ai vue là, sur cette place, j'ai été attiré par la candeur de votre comportement, qui contrastait avec la brutalité de la fonction. Je me suis dit que c'était peut-être une façon de recréer ce lien rompu avec les femmes. Maintenant, je me rends compte de mon erreur. D'autant que vous montrez tant de réticence à l'égard des hommes...

— Je les méprise et je les plains, l'interrompit-elle.

— Vous avez dû beaucoup souffrir, continua Delamere. J'aimerais vous aider, si vous le souhaitiez. Mais je ne suis probablement pas la bonne personne. Un peu usé pour redonner du courage aux autres. J'imagine ce que vous avez dû subir. Ce que les hommes sont capables d'infliger aux femmes...

— Ce n'est rien que votre imagination puisse même concevoir, lâcha Julia.

Delamere reprit, d'une voix encore plus accablée :

— Je donnerais beaucoup pour vous aider, mais vous n'êtes pas le genre à vouloir ça. Trop fière. Vous menez votre guerre seule. Je crois que quelque chose au fond de nous pourrait nous lier, mais nos passés sont inconciliables et nous écarte-

ront toujours l'un de l'autre, comme deux droites parallèles. Qu'allez-vous faire ? Retourner à Paris, partir pour Buenos Aires ?
— Je vais partir pour Buenos Aires.
— Demain ?
— Non, lundi ; je me suis engagée pour quatre jours.
— Je vous libère de votre engagement, si c'est ce qui vous retient, et sans contrepartie financière.
— Non, si vous m'y autorisez, je ne partirai qu'après-demain. J'avais prévu de faire Londres-Buenos Aires ce jour-là.
— Faites donc comme prévu. Pour ma part, je ne vous verrai pas demain, je vais me rendre à Cambridge, il y a une sorte de festival Purcell. J'y reverrai certainement quelques camarades d'école fiers de leur réussite et de vieux professeurs rassis. Je vais prendre un bain de notre vieille Angleterre ; ça m'évitera de m'attendrir sur moi-même. Les vieux chiens doivent se résigner à leur sort. Je dirai à Robert de vous accompagner à Heathrow. J'ai été heureux de faire votre connaissance, et... je suis navré de toute cette histoire. Maintenant, si vous n'y voyez pas d'inconvénient, je vais éteindre. Sentez-vous libre de rester dormir dans ce lit, si vous le souhaitez, je ne bouge pas beaucoup pendant mon sommeil. Du moins, c'est ce qu'on me disait il y a six ans. Bonne nuit. Je me répète un peu, mais j'ai été heureux de notre rencontre.

La pleine lune, à travers la vitre, s'était posée sur le visage de Julia, lui donnant un aspect de cire de miel. Elle s'était endormie tout de suite. Harold n'en revenait pas de la vitesse avec laquelle le volcan s'était éteint. Cette fille passait de la colère au sommeil sans cette sorte de précaution du couchant que prend la nature pour passer du jour à la nuit.

Delamere se releva, chaussa ses bottines de daim, sans les lacer, s'enroula d'un édredon blanc dentelé, s'empara de la bouteille de pur malt et descendit l'escalier avec des allures de sénateur romain ; il se dirigea vers le parc, longea l'étang en direction du grand chêne, et s'arrêta un moment devant le doyen de la forêt comme pour lui rendre un hommage. En passant devant les tombes, il se demanda si tout se terminait là ou si l'au-delà réservait des surprises. Il conclut que peu importait, surtout s'il fallait y endurer les mêmes désagréments. L'édredon blanc lui donnait l'allure d'un fantôme obèse déambulant à la recherche d'un garde-manger. Les chiens vinrent à lui en grondant avant de reconnaître son odeur. Il pénétra dans les écuries qui résonnèrent de sa démarche comme une cathédrale romane sous les pas du prieur, et il ouvrit la porte du box de Fink, le vieux cheval de son père.

L'animal dormait debout, la tête légèrement penchée sur le côté gauche. Harold éparpilla une brassée de paille neuve au fond de la mangeoire, se confectionna rapidement un oreiller de foin, puis s'installa en tirant sur lui son gros édredon, non sans avoir aspiré une dernière gorgée de whisky. L'installation achevée, le cheval, qui n'avait pas bougé jusque-là, pivota sur ses antérieurs pour venir renifler son maître. Harold caressa l'épi blanc qu'il avait entre les yeux et lui murmura à l'oreille :

— Ça ne t'a pas manqué, la conscience, hein, mon vieux ? Eh bien, nous, on nous l'a donnée, et ça nous a obligés à inventer le whisky.

Le cheval passa la nuit à contempler cet étrange être supérieur qui dormait dans sa mangeoire.

*H*arold fut debout à l'aube. Il rejoignit la cuisine, espérant n'être vu de personne. Mary était assise, seule à la grande table, fraîche et subtilement parfumée, épluchant des poireaux. Il s'épousseta pour se défaire des derniers brins de paille. Mary l'observa par-dessus ses lunettes, intriguée. En guise de bonjour, il posa ses mains sur ses épaules et avant que Mary n'ait eu le temps de s'exprimer :

— Pas un mot, je sais ce que tu vas dire. A-t-on déjà vu un lord héréditaire disposant de plus de mille mètres carrés bâtis dormir dans une écurie ? La réponse est oui : moi. La raison en est que j'étais hier soir d'une humeur, comment dire, très sexuelle. De peur d'outrager notre fantôme, lady Élisabeth, je me suis retiré. Bon, une petite douche et je pars pour Cambridge, pour la journée et probablement pour la soirée. Un festival Purcell au

St John's et d'autres lieux. Ma jeune invitée désire nous quitter demain pour Buenos Aires ; je ne pense pas la revoir d'ici là. Manque de temps, certainement. Je crois qu'il serait bien que Robert la conduise à Heathrow. Peux-tu t'en occuper ? Je pense que je vais participer à la chasse à courre des Hudson d'Ambeville, demain.

Mary prit un air circonspect, devant lequel Harold répondit aussitôt :

— Sais-tu ce que disait Oscar Wilde ? « Un gentleman anglais chassant le renard, c'est l'innommable à la poursuite de l'immangeable. » Le mot me convient assez. Allez, je file, je ne voudrais pas rater la cérémonie d'ouverture.

Mary se dirigea vers l'évier pour laver ses légumes. Comme Harold s'apprêtait à partir, une tasse de café à la main, elle l'interpella.

— Sais-tu quand tu as dormi la dernière fois, dans une mangeoire à chevaux ?

— Pas vraiment...

— À la mort de ta mère, il y a trente-six ans.

— Deux fois en trente-six ans, c'est plutôt rassurant, non ? On ne peut pas parler de pathologie obsessionnelle. Il y a des éleveurs qui font ça chaque fois que leur jument pouline. Disons que ça m'arrive chaque fois qu'une femme aimée quitte Bantry pour toujours.

*S*ur la route de Cambridge, il se sentit au plus bas. Il avait toujours essayé d'entretenir un niveau suffisant de considération pour lui-même par un travail continu d'autosatisfaction, comme on maintient un cours de bourse en rachetant des paquets d'actions. Mais cette fois, la tendance à la baisse s'était installée durablement. Julia était comme ces lumières vacillantes qui donnent au naufragé sur son radeau l'illusion d'être en vue des côtes. Avec ses manies de psychanalyste anglo-saxon il avait effrayé la jeune femme en voulant connaître son secret. Il se persuada qu'il n'y avait plus rien d'autre à faire que fuir, l'oublier, la laisser se dissiper dans les vapeurs du temps. Il allait se convaincre qu'il n'éprouvait rien pour elle. Elle redeviendrait ce qu'elle était en réalité : une étrangère. N'était-ce pas une forme de veulerie, quand on n'est pas heureux soi-même, que de vouloir se repaître de la tragédie des autres ?

Beaucoup des anciens professeurs qu'il allait retrouver ce jour-là lui avaient tourné le dos après ce qui s'était passé six ans auparavant. Dans ces circonstances-là, certains éprouvent simplement de la gêne et vous évitent, car la proximité du malheur inquiète les superstitieux. Il y a ceux qui pensent que vous devez bien être responsable de ce qui vous arrive, si peu que ce soit, et qui, dans le doute, vous tournent le dos. Et puis, il y a ceux dont l'attitude ne relève pas du manque de courage, mais qui ont décidé de vous oublier, tout simplement, parce que votre affaire a fait trop de bruit et que le simple fait que l'onde de choc soit parvenue jusqu'à eux suffit à vous exclure de la confrérie universitaire, qui n'aime ni les vagues ni la vie.

Harold avait suivi au collège de St Felicity des études de mathématiques et de philosophie. Son orientation ultérieure dans l'armée avait été accueillie avec une moue dédaigneuse par le corps professoral. Certes, l'armée de l'air était un moindre mal. Après tout, c'était la RAF qui avait sauvé l'Angleterre en 41. Son évolution vers les affaires avait été considérée par ses anciens condisciples comme un impardonnable dévoiement. Pour cette petite communauté peu exposée aux intempéries économiques, il était incompréhensible qu'on étudie dans un autre objectif que celui d'enseigner. Ils pratiquaient ainsi une forme de consanguinité intellectuelle, d'inceste du savoir. Malgré cela, Harold comptait sur cette journée pour renouer avec les anciens et faire oublier une existence qui avait résonné en une occasion jusqu'au cœur de la cité intellectuelle ainsi que son goût affiché pour une certaine forme d'enrichissement par le travail ou la spéculation.

La cérémonie d'ouverture du festival se tenait dans la cour carrée du collège. Près de deux cents personnes, dont plus de la moitié drapées dans leur toge. Cambridge n'est jamais plus belle que lorsqu'elle se dresse sur ses traditions millénaires. Harold se fraya un passage parmi quelques inconnus, mais ne fut pas long à trouver ses pairs. Ses anciens professeurs et condisciples étaient rassemblés en un petit groupe homogène. Le premier à le saluer fut un professeur de théologie du nom de Templeton. Sa mine la plus affable était en tout point conforme au visage d'Hudson-Law lorsqu'il accueillit Napoléon sur la *Belle Poule* lors de son départ pour son exil fatal. Il reçut Harold par un :

— Alors, Delamere, de retour à la civilisation ?

— J'en ai bien peur, répondit Harold.

— Ça fait bien quatre ou cinq ans, non ?

— Je parierais plutôt pour six.

— Le temps passe vite, n'est-ce pas ? Toujours dans les affaires ?

— De moins en moins, pour dire la vérité.

— Que faisiez-vous déjà ? Du déshabillage d'avion, je ne me trompe pas ?

— On peut dire cela.

— Ce n'est pas très convenable, mais ça l'est plus que de dévêtir des jeunes filles mineures.

— C'est surtout moins à la mode.

— Eh bien moi, reprit le vieux Templeton, je travaille à une conférence sur la relation entre la foi et la précarité de l'existence. Je me propose de montrer que la foi est proportionnelle à la conscience qu'a l'homme de sa précarité. Prenez l'époque de Purcell, par exemple. La foi était au centre de la société, parce que la mort était partout. Purcell lui-même a perdu trois ou quatre enfants en bas âge, il a vu autour de lui un Londonien sur cinq disparaître dans une épidémie de peste, et assisté à la mort de sa jeune reine de la variole, avant de connaître le même sort quelques mois plus tard, à l'âge de trente-six ans. Je m'interroge sur le lien entre la foi et l'espérance de vie.

— Selon vous, les islamistes commettraient massacre sur massacre pour maintenir leurs contemporains à un certain niveau d'insécurité induisant un retour à la foi.

— Pourquoi pas ? Mais, dites-moi, Harold, je me suis toujours demandé pourquoi vous ne vous

étiez jamais lancé dans la politique. Vous présen-
tez bien, vous vous exprimez clairement...

— Probablement parce que j'ai des mœurs
instables, suffisamment d'argent et un sens réel de
l'intérêt général.

— Vous n'êtes pas travailliste, au moins ?

— Certainement pas. Pas plus que conserva-
teur, d'ailleurs.

— Au moins, à l'université nous sommes loin
de la politique.

— Vous êtes loin de tout, à vrai dire.

Harold passa ainsi d'anciens camarades à
d'anciens professeurs, tous manifestant la même
retenue à son égard.

Après avoir consulté le programme du festival, il opta pour le concert qui mettrait le plus de
distance entre lui et cette communauté de dory-
phores. Il se décida pour la musique pour la reine
Mary. On donnait la *Musique pour l'anniversaire de
la Reine,* aussitôt suivi de la *Musique pour les funérailles de la Reine.*

Les deux événements s'étaient succédé en
1694, à huit mois d'intervalle. La plus douce des
reines d'Angleterre s'était éteinte à trente-trois ans
de la petite vérole. Harold revoyait l'harmonieux
visage de cette femme morte au même âge que sa
mère, et dont le souvenir lui avait été imprimé par
les livres d'histoire. De même qu'il se remémorait
sans cesse ces trois phrases prononcées par le pas-

teur lors de l'enterrement de sa mère et reprises par les chœurs de *Man that is born* :

« *L'homme né de la femme n'a qu'un moment à vivre, accablé de tourment. Il pousse, puis il est fauché telle une fleur. Il s'enfuit comme une ombre et ne persévère jamais en un seul séjour.* »

Harold citait souvent saint Augustin parlant de ceux qui se croient dans l'Église et qui n'y sont pas et de ceux qui en font partie sans le savoir. Il avait la foi des esthètes, celle qui se nourrit du mystère et de la beauté de ses expressions. Il montrait devant ce mystère une grande humilité, qui l'autorisait à se moquer de ceux qui parlent au nom de Dieu.

Il aimait les chapelles vides d'êtres humains ou remplies de musique, car la musique lui paraissait le seul exercice où l'homme fût collectivement supportable. Il ne fréquentait donc les églises qu'en dehors des offices ou pendant les concerts. Et lorsqu'il restait assis de cette façon, silencieux, immobile, le vide qui se faisait lui donnait l'impression de pouvoir toucher le Créateur.

La représentation de *Didon et Énée* à la chapelle St John résonna en lui comme un cri de femme, faisant resurgir de vieux démons endormis par des années sans lumière. Il sortit. Il était trop tôt pour rentrer à Bantry sans prendre le risque de rencontrer Julia. Il déambula dans les rues à la recherche d'un dernier concert. Le collège donnait les pièces pour orgue. C'était la partie la moins attrayante de l'œuvre du compositeur, mais à cette heure tardive il n'avait plus vraiment le choix. Hormis quelques Japonais qui se conformaient au programme de leur agence de voyages, l'assistance, très clairsemée, approchait de cet âge où l'on commence à se demander s'il y a une vie avant la mort.

Seule et tranchant sur ce monde racorni, une jeune femme d'une trentaine d'années enroulée dans un grand manteau noir s'appuyait avec langueur contre une pile du transept. Là où Harold se tenait, près d'un chapiteau latéral, la jeune femme ne pouvait le voir. Il put ainsi l'observer une heure entière. À un moment, elle se défit de son manteau, puis se ravisa. Cela dura juste assez pour qu'Harold pût apercevoir les lignes de son corps, et il dut se rendre à l'évidence : son désir renaissait comme les fibrillations d'un muscle endormi par un nerf sectionné.

Une voix d'homme, près de lui, le fit sursauter :

— Pas fameux, qu'en pensez-vous ?

— De qui parlez-vous ? demanda Harold qui revenait de très loin.

— De l'organiste, bien sûr, continua l'homme en souriant.

L'homme avait probablement été assis à côté de lui depuis le début du concert auquel il n'avait prêté aucune attention. Un colosse d'une centaine de kilos, qu'on imaginait mieux assistant à un match de rugby qu'à un concert de musique sacrée.

— Paul Hammer, fit l'homme en lui broyant la main.

— Enchanté. Harold Delamere.

Le colosse avait une expression d'enthousiasme enfantin qui éclairait un large visage presque rectangulaire.

— Manque de cœur, d'émerveillement, d'humilité devant l'œuvre... Tout le problème des titulaires.

— Qu'entendez-vous par titulaire ? s'enquit Harold.

— Je veux dire qu'il est organiste titulaire dans cette chapelle.

— Et que des toiles d'araignées lui sont tombées sur les mains ?

— Oh ! fit l'homme, je crois qu'il manque simplement de cœur.

Delamere regarda la jeune femme se diriger vers la sortie. Il aurait voulu la remercier pour cet instant où il s'était simplement senti normal.

— Accepteriez-vous de me suivre ? demanda brutalement Hammer.

Delamere jeta un regard intrigué à son interlocuteur et comme il s'apprêtait à répondre, celui-ci posa son doigt sur ses lèvres en signe de silence et se mit en route.

Harold, sans trop savoir ce qu'il faisait, suivit

l'homme dont la démarche balancée faisait penser à celle d'un grand singe.

Un froid humide descendait avec le brouillard. Arrivé à Trinity College, Hammer poussa la lourde porte d'un coup d'épaule. Puis il frappa à la fenêtre du concierge. Celui-ci sortit de son antre.

— Ah ! c'est toi, Paul ! Qu'est-ce que tu veux ?

— La clé, s'il te plaît.

— Ah ! oui la clé. Je t'apporte ça.

Le concierge revint tenant à la main une clé si grosse qu'elle aurait pu être celle d'un pays tout entier.

— Pour ne pas te réveiller, je la poserai devant la fenêtre, promit Paul.

Les deux hommes traversèrent la petite cour pavée, puis Hammer se retourna vers Harold :

— Désolé, l'électricité est coupée à partir de huit heures jusqu'au matin. Faites attention de ne pas vous cogner. Il vous suffira de me suivre. Prenez garde aux marches, elles sont raides et glissantes.

Ils étaient dans la chapelle du collège. Paul prit Harold par le bras.

— Asseyez-vous, je vais m'installer.

Paul fureta pour trouver un tabouret. Dans la pénombre, la densité du silence semblait aussi pesante que le souffle de Dieu.

Harold entendit le frottement des mains de Paul qu'il tentait de réchauffer en soufflant dessus.

Le bruit cessa et un long moment s'écoula dans un silence absolu qui donna à Harold le sentiment d'être aspiré par le vide. Puis, Paul se mit à parler. À chuchoter plutôt, marquant un temps à chacune de ses expirations :

— Je vous ai fait venir ici pour vous montrer qu'il existe un chemin entre l'homme et Dieu. Mais il faut le suivre avec amour. Sans amour, aucun chemin ne mène nulle part.

Un accord soudain plaqué sur un orgue fit sursauter Harold et le saisit au plus profond de l'être. Il eut une sensation d'envahissement. Paul jouait depuis l'au-delà. Dans la pénombre à laquelle ses yeux commençaient à s'habituer, Harold vit cinquante bras et jambes se détacher de ce corps massif pour jouer chacun leur partition aux ordres d'une tête de tribun qui donnait une implacable mesure. L'orgue était comme un orchestre à lui tout seul, et bien plus encore que cela, car c'était le cœur même de l'organiste qui délivrait chaque note qui venait rebondir sur les murs de la chapelle. Paul joua ainsi trois heures durant, les membres éparpillés pour mieux rassembler sa foi. Bach, encore Bach, puis Widor. Et puis Bach pour finir, car c'était de lui qu'il tenait son inspiration. Paul faisait de l'orgue un instrument triomphant, une expression céleste qui effaçait le doute, le dissolvait sans pitié.

Quand il cessa de jouer, il posa ses larges mains sur ses cuisses et Harold vit couler sur son visage des larmes de sueur. Le silence résonnait plus fort que jamais Paul avait rendu tous les bruits intermédiaires inutiles, dérisoires.

Il se tourna vers Harold, les yeux écarquillés, essoufflé :

— Il faut y mettre de l'amour et beaucoup d'humilité, dit-il à voix basse, comme s'il s'agissait là d'un secret qu'eux seuls devaient partager.

Quand ils sortirent à la lumière, Harold découvrit un visage détendu, celui d'un homme en accord avec lui-même.

— Et si on allait boire une bière ? proposa Paul.

— L'idée me semble excellente, répondit Harold qui reprenait difficilement ses esprits, mais je ne vois pas très bien où nous pourrions trouver un pub ouvert dans Cambridge à cette heure.

— Il n'est pas si tard, n'est-ce pas ?

— Il est très exactement deux heures et demie du matin.

— Dieu du ciel, comment est-ce possible !

— Vous avez joué près de trois heures.

— Vous ne plaisantez pas ?

— Je ne crois pas.

— Alors, tant pis pour la bière.

— Non, dit Harold, j'ai une autre idée. J'habite à cinq miles de Cambridge. Je vous y emmène, on boit cette bière, et je vous redépose à Cambridge.

— Très volontiers mais je dois passer à mon bureau récupérer une partition, parce que je chante demain matin à l'office avec la chorale de Bantry.

— Bantry ? sursauta Harold. C'est justement là que j'habite. Allons récupérer cette partition et partons vider quelques chopines.

— Vous êtes sûr que cela ne vous fait pas trop tard ?

— Il n'est jamais trop tard pour partager un verre avec un nouvel ami. Vous n'avez pas de voiture à récupérer ?

— Je n'ai pas de permis de conduire. Ma femme et moi ne nous déplaçons jamais. Je prends le bus pour me rendre aux petits concerts, sinon je fais tout à pied dans Cambridge.

— Et vous ne voyagez jamais ?

— Rarement plus loin que Newmarket. La dernière fois que j'ai quitté le royaume pour le continent, c'était il y a un peu plus de huit ans. Ann et moi étions allés en France pour rendre visite à l'organiste de Notre-Dame. Puis nous avons eu de petites misères, si on peut le dire ainsi, et depuis nous ne bougeons plus. Quand on a rencontré des musiciens comme Bach, Purcell, Vidor, c'est une grâce suffisante.

Les deux hommes rejoignirent la voiture de

Harold. Ils traversèrent la ville à petite allure. Dans le brouillard, la cité semblait appartenir à un autre temps.

— C'est juste à la sortie de la ville en direction de Bantry, dit Paul.

— Quel genre de travail faites-vous ? demanda Harold, Vous n'êtes pas musicien professionnel ?

— Malheureusement non. Je n'ai jamais réussi à obtenir un poste de titulaire, ni même une vacation durable dans la région. Quelques touches plus au sud, mais nous ne pouvons pas partir. Et ici, les choses sont toujours arrangées d'avance. Enfin, quand je dis malheureusement, c'est une façon de parler, car je n'envie personne. Je ne vis pas de la musique, mais je m'en nourris et c'est bien plus important. Voilà, nous sommes arrivés, c'est à gauche.

La voiture s'était engagée dans une zone de bureaux en préfabriqué comme il en existe dans toutes les agglomérations de villes moyennes. Une pancarte fluorescente indiquait fièrement : *British Telecom, Division de Cambridge.*

— Vous travaillez dans les télécommunications ? dit Harold. Un secteur porteur...

La voiture garée, Paul lui demanda de patienter, le temps de récupérer les clés. Puis il revint et le pria de le suivre. Ils rebroussèrent chemin en direction de la sortie. Arrivés devant la guérite du gardien, Paul ouvrit la porte en annonçant :

— Voilà mon paradis, et ça me fait très plaisir de vous le montrer.

La guérite était un petit rectangle de trois mètres sur deux. Elle ressemblait à un studio d'enregistrement. Au fond de la petite pièce, Paul avait installé un tourne-disque pour l'impressionnante collection de vinyles qui dépassaient de leurs pochettes froissées comme un alignement de réglisses compressées.

Paul manifestait une agitation fébrile, visiblement heureux de montrer à son nouvel ami ses antiquités musicales, dont certaines remontaient avant guerre ; à l'époque où le son se partageait entre notes et bruits d'insectes. Il avait en particulier des enregistrements pirates de grands compositeurs dirigeant leur propre musique. Sur la droite se tenait un lecteur de disques compacts auquel était relié un casque audio de professionnel. Sous l'appareil était alignée une quintuple rangée de disques de plus de deux mètres de long.

— Tout Bach ! lança Paul triomphant.

Harold, qui n'en croyait pas ses yeux, hocha gravement la tête.

— Et maintenant, reprit Paul, une lueur étincelante dans le regard, en tirant sur une sorte de drap, le clou de cet endroit : un clavier d'orgue pour l'étude. Je joue sans arrêt, les jours de travail comme les jours de repos. J'achète de nouveaux disques tous les mois. J'ai renoncé à la retraite complémentaire facultative, il faut toujours parier sur le présent. J'ai également bien négocié mon contrat de travail : pas d'avancement, mais la guérite pour la vie.

Puis il ajouta, clignant de l'œil d'un air complice :

— Je crois que j'ai beaucoup de chance, vraiment.

Ils avaient repris la route. Harold était tout à l'émerveillement de cette rencontre. Ce Paul Hammer, pensait-il, était vraiment l'opposé de lui-même. Un homme simple, à la fois passionné et sans drame, tout ce qu'il cherchait, lui qui paraissait voué à ne rencontrer que des êtres meurtris comme il l'était lui-même. Cette Julia, par exemple.

— Vous ne voulez pas prévenir votre femme ? demanda Harold en chassant l'image de la jeune prostituée. J'ai un téléphone mobile dans la boîte à gants.

— Vous êtes gentil, répondit Paul, mais Ann dort à cette heure.

— Elle ne fait pas partie de ces femmes qui appellent la police dès que leur mari est en retard de dix minutes ?

— Oh ! pas du tout, Ann me fait confiance. Mais, de toute façon, elle ne pourrait pas décrocher le téléphone, il est à l'autre bout de la pièce. Je n'ai pas eu l'occasion de vous le dire, mais Ann ne marche pas. En plus, elle a un vrai problème avec le téléphone.

— Je suis désolé, je...

— Vous ne pouviez pas savoir. Un accident stupide. Ann, qui a vingt ans de plus que moi, s'est un jour pris les pieds dans le fil du téléphone. Elle s'est brisé les cervicales sur l'angle d'une commode. Depuis, elle est entièrement paralysée et vit couchée avec un respirateur. L'assistance publique met une infirmière à notre disposition, ce qui nous facilite beaucoup la vie.

— Quel drame affreux...

— Nous étions déjà très unis, mais cet accident nous a beaucoup rapprochés. Je n'ai pas d'orgue à la maison, mais je chante. Je chante pour elle au moins une heure par jour. À ce propos, j'attends une réponse de la chapelle de Dillington pour un demi-poste de titulaire comme baryton. Ce serait formidable : Dillington, ça prend à peine trois quarts d'heure en bus.

Comme ils approchaient de Bantry, Harold, qui cherchait ses mots depuis plusieurs minutes, se décida enfin à parler :

— Vous me voyez un peu gêné de vous dire cela, mais je ne voudrais pas que vous pensiez... Enfin, je dois vous prévenir ; en fait, je suis le propriétaire de Bantry Hall, le manoir de Bantry. Je ne voudrais pas que vous me preniez pour...

— Je ne l'ai jamais vu que de derrière les grilles, le coupa Paul, mais cela semble une bien belle demeure. Pourquoi cela devrait-il changer quoi que ce soit dans mon attitude envers vous ?

— Parfois, ceux qui ont tout reçu du ciel indisposent les autres. À vrai dire, je ne me considère pas tout à fait comme appartenant à cette catégorie, car lorsque j'ai hérité de la propriété elle était promise à la vente à la bougie. J'ai beaucoup travaillé pour la maintenir à flot. Mais l'important, c'est que vous ne ressentiez aucune gêne.

— Ne vous inquiétez pas, Harold, je n'ai jamais jalousé personne et je suis content pour vous que vous viviez dans un si bel endroit.

Harold installa son invité dans le petit salon, la pièce la plus chaleureuse de la maison. Sans faire de bruit pour ne pas éveiller Julia qu'il ne voulait revoir sous aucun prétexte avant son départ. Paul s'émerveilla devant l'abondance de tableaux, de bibelots anciens et s'arrêta devant le bureau à cylindre où reposaient des centaines de pages manuscrites.

— Je ne voudrais pas être indiscret, demanda Paul avant de s'asseoir, mais êtes-vous en train d'écrire un roman ?

— Pas vraiment, répondit Harold en lui servant un verre. Plutôt un essai. Un essai sur la nature du drame humain. Assez ambitieux, passablement vaporeux. Je crois d'ailleurs que je vais renoncer.

— Pourquoi ? s'étonna Paul.

— J'ai l'impression d'écrire un mauvais roman noir. Je me sens comme l'écrivain qui crée le personnage d'un tueur psychopathe et qui, à force de le côtoyer, se met à craindre que le personnage ne se matérialise pour venir le tuer. Ma décision date de ce matin.

— C'est vraiment très dommage, vous semblez avoir accompli un travail tellement considérable.

— En volume, oui, mais ce n'est pas un gage de qualité. Non, vraiment, je crois qu'il est temps de m'arrêter.

— Alors pourquoi avoir commencé ?

— Parce que ce sentiment du drame constitutif de l'homme est une émotion forte, envahissante, destructurante. Pour le ramener au niveau des choses communes, il était nécessaire de l'intellectualiser, de le rationaliser. Mais ce travail m'entraîne dans un gouffre. C'est un exercice périlleux, que de se cloîtrer des heures entières, seul face à des problèmes fondamentaux, et de retrouver ensuite cette légèreté qui fait le sel de la vie.

Entraînés à présent, les deux hommes parlèrent longtemps, de tout. Ils découvrirent qu'une étonnante complicité s'était nouée entre eux en quelques heures. Et soudain, alors que rien ne l'y avait préparé, Harold raconta son histoire. Il parla deux heures durant, se livrant sans omission ni mensonge.

II

*L*orsque j'ai épousé ma femme, il y a plus de vingt-trois ans, commença Harold, je n'avais pas remarqué à quel point elle était fermée au monde. En général, les défauts liés à la psychologie des êtres naissent et s'épanouissent pendant l'enfance et l'adolescence pour se stabiliser ensuite dans les premières années de l'âge adulte, parce que cette période est celle des illusions, où l'on se plaît à croire que l'on maîtrise son histoire et son tempérament. Puis ces traits de caractère, comme ceux du visage, s'accusent avec le temps, épaississent parfois jusqu'à la caricature, pour échapper définitivement à ceux qui les subissent.

C'est Bergson, je crois, qui disait : « L'intelligence, c'est la capacité d'adaptation. » Ma femme n'avait pas cette intelligence-là. Et faute de pouvoir considérer le monde tel qu'il est, elle avait décidé de se créer son propre monde. Attitude arrogante et périlleuse, qui revient à emménager dans un château de sable.

C'était une femme énergique, Sandra. Mi-anglaise, mi-irlandaise. Très physique. Rejetant l'intellectualisme sous toutes ses formes et de toute sa force. Elle sculptait. Le bois, la pierre, le métal et ne trouvait jamais de matériaux assez durs pour s'y confronter. Je l'ai épousée parce que je la trouvais originalement belle. Une rousse aux yeux d'un bleu minéral.

Elle menait contre sa sculpture un étrange combat. Camille Claudel contre Rodin, le talent en moins. Ses œuvres se vendaient peu, et seulement à des relations qui souhaitaient m'être agréables. Par bonheur, elle ne jouait pas à l'artiste incompris. Elle s'était aménagé un atelier dans une ancienne serre à droite des communs. Un antre qui sentait l'argile, la poudre de pierre et le métal fondu. Plus les années passaient, plus elle s'engageait dans des entreprises colossales. Une façon de conserver l'ivresse d'entreprendre et de reporter à l'infini l'amertume de ne rien achever. Elle s'habillait avec une salopette de maçon, se coiffait d'un chapeau de papier et fumait des cigarettes françaises brunes sans filtre.

Elle se plaisait à paraître en retard aux dîners, lorsque nous avions des invités, et à se retirer la première, non sans manifester l'ennui qu'elle avait éprouvé pour des conversations qu'elle n'alimentait jamais. Mes amis la fuyaient. Elle n'avait gardé aucun des siens, par paresse affective. Elle avait toujours une raison de rompre avec nos relations. Elle guettait la faute. Lorsque je lui en faisais le reproche, toujours voilé, car ni elle ni moi n'aimions les rapports de force, elle s'en tirait par une pirouette. Elle prétendait qu'elle ne voulait pas me partager. Cela suffisait à me flatter, même si nous savions tous les deux que c'était faux. Nous vivions l'un à côté de l'autre, sans intimité, ponctuant les semaines d'ébats silencieux dans une hâte victorienne d'éradiquer le mal.

Nous n'avons pas eu d'enfants. De mon fait. Une balle de cricket à pleine vitesse dans les testicules, à la puberté, suivie d'oreillons quelques mois plus tard. À ce point, on ne peut pas parler de hasard, mais de destin. J'avais le pressentiment de cette irréversible stérilité avant notre mariage, mais je ne faisais rien pour en avoir la confirmation. Les années passant, l'évidence s'est imposée. Je lui ai proposé d'adopter un enfant. J'aurais pris le risque d'un sang d'une origine inconnue, pour qu'un enfant nous apporte un peu de vie. Elle a refusé. Je m'étais rendu compte que sa propre enfance, dont elle ne parlait jamais, lui était restée sur l'estomac comme un chocolat chaud sur des œufs brouillés. Elle n'en parlait jamais. Elle n'a jamais non plus évoqué mon infirmité. Ni ne me l'a reprochée. Peut-être pensait-elle que cette faiblesse me liait à elle à jamais. Nous n'en avons parlé qu'une fois, bien plus tard, dans des circonstances particulières.

Bref, notre vie était ainsi : Sandra sculptait, je volais sur un jaguar de la base de Spamstead. Je volais parce que mon père était un ancien de la RAF et elle sculptait parce que son enfance lui avait donné mille raisons de vivre recluse. Ce sont finalement les dettes de mon père qui m'ont fait quitter l'uniforme. Les revenus des terres ajoutés à ma solde d'officier ne suffisaient plus à payer les échéances progressives des emprunts. Mon père avait hypothéqué l'avenir, usé de cavalerie comme un expert de la faillite. Il avait certainement trouvé là une occasion de porter un toast. Mais toute la propriété se trouvait gagée et les chevaux nantis au profit des banques.

C'est à cette époque que je me suis lancé dans mon affaire de déshabillage d'avions. Je voyageais beaucoup. Les appareils se trouvaient dans le désert de l'Arizona, les acheteurs de pièces détachées partout dans le monde. Il m'arrivait de rester plusieurs semaines loin de Bantry. Sandra ne mettait pas plus d'empressement à m'accueillir après un mois d'absence qu'après une journée. Je dirais même que plus mes absences s'allongeaient, plus le prix à payer était fort. Non que je lui manquasse, mais je désorganisais son univers. Elle me suspectait de trouver du plaisir dans un autre monde que le sien. Elle n'était jalouse de rien ni de personne ; elle avait simplement réussi à accor-

der un vieil instrument qui menaçait de se désinté-
grer, et je manipulais cette antiquité sans
ménagement. Je troublais l'ordre et le silence de
sa prison dorée. Quand j'évoquais les causes
financières de mon agitation, elle répondait en
invoquant l'ivresse et le plaisir égoïste de la trépi-
dation. Elle se momifiait de son vivant et elle
aurait trouvé naturel que j'en fasse autant.

Un dimanche matin, j'étais allé faire un tour
à cheval, comme j'en avais l'habitude. Je longeais
l'étang qui frissonnait sous la brise matinale. La
nature était souriante comme tous les mois de mai
depuis que cette propriété avait été bâtie par mes
ancêtres, onze siècles plus tôt. Je la contemplais
avec d'autant plus de satisfaction que j'avais enfin
réussi à la sauver du pillage des créanciers, et cela
pour de nombreuses années. Je pensais à l'énergie
que j'avais déployée pour maintenir debout ces
pierres qui, parfois, semblaient demander grâce
aux grands cèdres qui se balançaient dans le vent.
Un réflexe héréditaire, le lien avec mes morts. La
fin d'une lignée pour l'enfant unique et stérile.

Et pourtant, ce jour-là, j'ai décidé de tout quitter. Sandra et ma maison, Sandra et mes étangs,
Sandra et mes tombes. Cette femme me donnait le
sentiment d'être orphelin une seconde fois. Orphelin de mère, elle m'avait rendu orphelin de femme.

Au retour de promenade, sans même prendre
le temps de desseller mon cheval, le tenant par la
bride d'une main, j'ai ouvert de l'autre la porte

de son atelier. Elle s'acharnait avec une perceuse électrique sur une énorme pièce de métal dans un vacarme de grand garage. Au bout de quelques minutes, elle daigna s'interrompre. Elle me regarda un instant, puis elle s'avança vers moi, du pas de quelqu'un qui pressent qu'on va lui infliger une décision définitive.

— Sandra, ai-je commencé, désolé de te déranger, mais j'ai quelque chose d'important et d'urgent à te dire.

Elle releva sa visière de soudeur.

— Si c'est urgent, dis-le tout de suite.

— Je crois qu'il faudra qu'on en parle, mais j'ai décidé de te quitter. Comme c'est moi qui te quitte, je te laisse la disposition du domaine. Je n'ai pas beaucoup d'explications à te donner, ni de reproches à te faire. Je crois qu'un mauvais fluide circule entre nous.

Elle haussa les épaules et retourna à ses occupations. Je ramenai mon cheval à l'écurie. Je pris ma valise, celle qui était toujours prête en prévision des voyages imprévus. Je la chargeai dans ma vieille Volvo et je partis.

En franchissant la grille, je ne me suis pas senti plus libre, simplement adulte.

*J*e me suis installé à Londres dans un grand hôtel confortable, central. J'avais emporté avec moi les aphorismes d'Oscar Wilde, vaccin contre la mélancolie, l'œuvre complète de Thomas Hardy et quelques épais romans policiers de James Ellroy. J'ai passé un mois à visiter des petites surfaces de bureaux dans la City pour relancer un peu d'activité dans le marchandage d'avions ou de pièces détachées.

Lorsqu'on vit une relation lourde de silence et de répulsion contenue, on imagine la solitude comme une libération. En réalité, on n'accepte pas le mal-être, les vapeurs névrotiques pendant de si longues années sans raisons, ni sans s'y complaire un peu. La solitude qui suit est un exercice difficile, comme chaque fois qu'on se retrouve face à soi-même, sans personne pour approuver l'état dans lequel on s'est mis. Je n'arrivais pas à me convaincre de me créer un chez-moi, n'ayant jamais été chez moi ailleurs qu'à Bantry. J'eus d'ailleurs très vite le mal de Bantry. L'image du domaine me poursuivait. C'était un peu une image pieuse, si vous voulez, mais aussi toute la réalité. J'éprouvais le vertige d'un animal sauvage élevé en cage qu'on rend brusquement à la liberté.

Pour m'imposer une activité physique, je me suis inscrit à un cours d'arts martiaux. Je m'y rendais le mardi soir et le samedi matin. C'était un club très convenable, pour cadres sous pression. Le professeur était un petit personnage sec qui commençait chaque séance par un petit discours sur « l'aboutissement de la technique chez le pratiquant confirmé » qu'il débitait par vagues saccadées. C'est comme ça que j'ai appris que l'ultime ambition du pratiquant ne devait être ni de défoncer un mur de briques, ni de tuer un taureau d'un coup de poing au milieu du front, ni de marcher sur des braises vives. C'était d'être capable de tuer un moustique en plein vol, d'une simple manchette.

Trois mois après mon arrivée à Londres, j'en étais loin.

Ce jour-là, j'ai calé au bout de la première des deux heures, asphyxié. J'ai perdu le bénéfice de la séance en m'engouffrant dans un pub où je me suis abreuvé de bière rousse à la pression. C'est alors que le sentiment de solitude s'est abattu sur moi comme le brouillard sur la Tamise. Je n'étais pas vraiment d'humeur à regagner mon club. J'ai appelé une ancienne secrétaire intérimaire, Debbie, que j'avais recrutée quand j'avais ouvert mon bureau de la City. À l'époque, elle m'avait fait des avances et laissé un numéro de téléphone. La probabilité de tomber sur elle et qu'elle soit disponible était faible. Pourtant, elle décrocha à la deuxième sonnerie et me proposa de passer me prendre à l'angle de la rue du pub d'où j'appelai, une petite heure plus tard. « Dégustez une mousse, cher Harold, le temps que je sorte de celle de mon bain. Je ne serai pas longue », murmurat-elle dans le combiné. Cette voix humide me fit regretter mon initiative.

J'arpentai le quartier pour faire passer cette heure loin du pub, avec l'appréhension de cette soirée qui s'annonçait comme un interminable dîner suivi d'un accouplement précipité.

Et c'est alors que Tess m'est apparue. Oui, Paul, ce fut une apparition. Sa démarche, sa taille, son allure... Je l'ai regardée avec insistance, et elle n'a pas baissé les yeux en me croisant. Je me suis retourné sur son passage, je n'avais jamais fait ça de ma vie. Et puis, j'ai fait demi-tour et je l'ai suivie, comme un chien égaré qui s'est trouvé un nouveau maître. Jusqu'à son arrêt de bus. J'ai fait mine d'en attendre un moi-même. Elle m'a dévisagé à plusieurs reprises. C'est moi qui ai baissé les yeux. Un premier bus s'est arrêté, ce n'était pas le sien. J'étais incapable de lui adresser la parole, je sentais que j'allais la perdre et je ne savais pas quoi faire. Un nouveau bus s'est arrêté. À son mouvement d'épaule pour remonter son sac, j'ai compris que c'était celui qu'elle attendait. Elle est montée. J'ai hésité à lui emboîter le pas. Les portes se sont fermées, le bus est parti. Elle m'a regardé me rétrécir dans son champ de vision avec un léger sourire de dédommagement.

J'ai repris ma marche dans la direction prise par le bus, comme si cela pouvait me rapprocher d'elle, les épaules voûtées le regard fixé sur le sol, stupide et vaincu.

Après quelques minutes de marche, j'ai entendu une voix :

— Ça vous arrive souvent de suivre une femme ?

J'ai levé la tête. Elle était là, souriante, sûre d'elle-même. Elle était descendue à l'arrêt suivant pour remonter à ma rencontre. J'ai bafouillé :

— C'est la première fois. Sincèrement.

Son visage s'est illuminé pour me dire :

— Une première fois, ça se fête, non ?

Comment vous dire, Paul ? C'était la créature du hasard. Une beauté qu'on ne détaille pas. Simple et absolue. Elle était simplement belle, c'est ça. Sans arrogance ni fausse modestie. Elle portait son âme sur son visage aux angles parfaits. Elle respirait la droiture, le refus des compromis.

Debbie est arrivée à ce moment-là dans une

Austin rouge avec une coiffure à plusieurs étages.
Je lui ai fait part d'un empêchement. Quand elle a
vu l'allure de l'empêchement, elle a réagi avec un
réel manque de sang-froid, puis elle est repartie
en trombe. J'ai craint que l'équivoque de la situation ne fasse fuir la jeune femme. Je me suis
retourné, embarrassée. Elle m'attendait les bras
croisés, souriante.
Je l'ai emmenée au *Café de Paris*, à Piccadilly,
pour y dîner.
— Les signes du début ne trompent jamais
pour la fin, m'a t-elle dit.
Elle s'appelait Tess, comme l'héroïne du
roman de Thomas Hardy que j'avais emporté avec
moi. C'était un signe, cela aussi.

Elle me parla de son métier de comédienne.
Elle venait de jouer pendant quatre semaines
Mademoiselle Julie d'August Strindberg. Une pièce
qui, disait-elle, nécessite de donner beaucoup de
soi-même, d'extirper sans pudeur le malaise
enfoui au tréfonds de soi. C'était son premier rôle
après des années d'attente. Pour jouer finalement
quatre semaines dans un petit théâtre de la banlieue de Glasgow, elle avait dû accepter pendant
quatre ans des rôles de caissière dans une grande
surface de produits surgelés, de dame pipi dans
un grand théâtre londonien, de serveuse dans un
bar de lesbiennes des quartiers nord.

Comme je lui demandais s'il n'existait pas une préparation moins hasardeuse au métier de comédien, elle me répondit que cette option courte n'était accordée qu'à ceux ou celles qui acceptaient de faire don de leur corps, à tout le monde, aux producteurs, aux metteurs en scène, aux hommes de télévision, jusqu'aux petits comédiens, puis elle se lança dans une description apocalyptique du monde du spectacle, pour lequel il semblait bien, en effet, qu'elle ne fût guère faite.

Quand elle eut terminé, je lui demandai :

— Et alors, comment comptez-vous faire ?

— Je réussirai par moi-même, répliqua-t-elle avec un regard de défi, je monterai mes propres spectacles s'il le faut, avec ma propre mise en scène et ma propre exécution.

Je l'interrogeai sur le milieu du théâtre que je ne pouvais imaginer aussi corrompu que celui du cinéma. Elle parla, en effet, d'un monde plus sobre, plus cultivé, mais aussi d'un microcosme centré autour de chapelles fermées, exclusives.

Bref, elle avait choisi une voie où la réussite est hautement improbable, mais le regard de la jeune fille portait loin, comme celui des grands cavaliers d'obstacle, et j'étais sûr qu'elle arriverait.

Après dîner, je lui proposai de la ramener chez elle. Elle resta assez évasive sur l'endroit où elle logeait et préféra marcher avec moi jusqu'à mon hôtel. Nous longions les jardins de St James

Park. Je me tenais légèrement en retrait, fasciné par l'oscillation de ses hanches – un mouvement plein de grâce, pareil à celui du balancier d'une pendule ancienne. Je lui en fis la remarque, en ajoutant que je m'attendais d'une minute à l'autre à ce que le joli timbre de sa voix sonne les douze coups de minuit. Pour toute réponse, elle m'embrassa. Nous montâmes dans ma chambre. Deux heures passèrent ensuite à faire le point sur nous-mêmes comme deux adolescents pressés, sur nos ressemblances et nos affinités, musique, animaux, paysages, rêves. Je ne pus m'empêcher d'évoquer Bantry Hall, mais je m'aperçus que je lui en parlais au passé. Comme elle détestait l'argent et tout ce qui s'y attache, elle se félicita que j'en sois débarrassé, tout en regrettant pour moi un lieu qu'elle imaginait charmant. Parce que j'avais décidé de tout lui dire, je lui expliquai que, tout en conservant la nue-propriété du domaine, j'en avais cédé la jouissance à mon ex-femme. Le mot fit mouche. Elle me regarda avec crainte plutôt qu'avec suspicion. Pour la rassurer, je mis en avant la fameuse théorie selon laquelle si un homme n'a pas été marié à quarante ans ou n'a pas connu une femme durablement, c'est qu'il dissimule un profond égoïsme.

Elle hocha la tête d'un air sceptique, et demanda :

— Depuis quand es-tu séparé de ta femme ?

— Depuis des années dans ma tête. Dans les faits, depuis trois mois.

Son regard prit alors une étrange opacité, puis elle laissa tomber :

— Nous en sommes au point où il faut nous faire confiance.

Je lui répondis :

— Je crois que nous le méritons l'un et l'autre.

*L*e lendemain matin, il faisait grand soleil sur Londres. Je me suis levé sans faire de bruit, j'ai tiré un coin du rideau et observé, dans le parc, le mouvement de quelques coureurs à pied déjà essoufflés qui se battaient contre leur mécanique récalcitrante. Je n'avais pas le souvenir d'un tel bien-être. Pas depuis mes premiers mois avec Sandra. Une harmonie s'était créée entre deux êtres. Nous étions résolument tournés l'un vers l'autre. Cette femme me prenait tel que j'étais, sans aucun intérêt pour ma position sociale. Elle ne chercherait pas à me transformer. Elle ne tenterait pas non plus de me mouler au plâtre son idéal masculin.

Elle se réveilla sans trop savoir où elle était, et quand elle me vit son visage s'illumina.

Comme elle se levait pour se diriger vers la salle de bains, je remarquai qu'elle avait sur le ventre plusieurs cicatrices désordonnées. Après une hésitation qui dura le temps de sa douche, je l'interrogeai sur l'origine de ces traces. Elle se rembrunit, mais répliqua, en me regardant dans les yeux :

— Je ne l'ai jamais dit à personne, mais toi, tu peux savoir. Cette nuit, nous avons échangé notre sang comme les Indiens, en nous promettant de ne jamais rien nous cacher. Un évadé d'une prison psychiatrique près de Southampton a essayé de me violer dans le jardin de ma tante, lorsque j'avais quatorze ans. Comme je me suis débattue, il m'a lardée de coups de couteau. Par bonheur, c'était un petit couteau. J'ai réussi à m'enfuir jusqu'à une maison voisine qui était gardée par un gros chien qui me connaissait. Finalement, le type est parti. Ils l'ont retrouvé dans la soirée. Voilà pourquoi je ne serai jamais modèle pour une marque de sous-vêtements.

Puis elle retourna dans la salle de bains, se sécher les cheveux.

Je suis resté allongé sur le lit, les bras en croix, le regard rivé au plafond, atterré par cette histoire qu'elle m'avait racontée avec un détachement réel.

Quand elle revint, et comme je m'étonnais de sa force de caractère, elle me répondit :

— J'ai bien essayé de me suicider une ou deux fois après ça, mais le cœur n'y était pas. J'ai réalisé que j'étais en train de donner à cet homme tout ce qu'il avait voulu me prendre : mon désir et ma vie. Je ne me suis pas non plus précipitée dans les bras du premier venu pour oublier. J'ai attendu qu'un homme me plaise, exactement comme je l'aurais fait si rien de tout cela n'était arrivé.

Nous nous sommes aimés jusqu'au soir. Elle était mon double, j'étais son ange. Nous n'avons plus jamais évoqué cet épisode de sa vie. Elle avait vingt-trois ans. J'étais son premier amour et son premier amant. Elle attendait cette réconciliation depuis huit ans. Je l'attendais depuis toujours, sans le savoir. Elle était celle qui allait me permettre de tout recommencer, depuis le début.

Suivit une période de grâce comme en connaissent ceux qui brutalement en viennent à vivre pour l'autre, et non plus pour eux. Dans une sorte de dévotion où chacun s'oublie. Nous sortions tous les soirs. J'étais fier d'elle. Fier aussi d'avoir pu inspirer de l'amour à une femme aussi exceptionnelle.

Nous sommes allés ensemble résilier le bail de son logement social, dans la banlieue la moins fréquentable des quartiers nord, et déménager les affaires qu'elle ne voulait pas abandonner — quelques objets qui tenaient sans mal dans le coffre de ma voiture.

Un bouquet de fleurs était déposé devant la porte. Un admirateur pakistanais qui faisait rugir le moteur de sa Ford au pied de son immeuble le dimanche matin alternait corbeilles fleuries et lettres d'insultes lui promettant les pires raffinements de cruauté, en particulier de l'exciser avec un sécateur rouillé. Je n'ai pas été long à descendre ses cartons de livres de théâtre, entre deux rangées d'adolescents qui disputaient un concours de crachats dans l'escalier. Je m'étonnai qu'une fille comme elle ait pu survivre aussi longtemps dans un endroit pareil. Elle m'expliqua qu'elle avait profité d'un code de l'honneur et de la protection déclarée d'une bande de Nigérians depuis que l'un d'entre eux l'avait vue posant pour la publicité d'un téléphone portable dans un magazine de motos. Malgré cela, l'endroit ne lui laissait aucune nostalgie.

Nous nous sommes repliés sur nous-mêmes. Ses amis, qui étaient pour la plupart des comédiens en attente de rôle, me trouvaient fréquentable, bien conservé pour mon âge, mais l'aisance matérielle qu'ils devinaient chez moi les indisposait. Lorsque Tess sentit qu'on la suspectait d'être avec moi par intérêt, elle les appela tour à tour et, après un procès sommaire, rompit avec eux sans leur laisser le loisir de se défendre. De mon côté, je n'avais pas vraiment d'amis à Londres. Quelques relations, qu'elle jugea trop matérialistes.

Tess tranchait sur tout et avec tout le monde. Comme un chevalier qui découpe dans la piétaille. Le nettoyage de son agenda dura à peine deux semaines. Les fâcheux, les intéressés, les concupiscents disparurent sans laisser de traces. Elle était incorruptible, sans concession et d'une rare énergie. Elle passait ses journées en rendez-vous, à la recherche d'un agent introuvable. Le soir, elle s'abandonnait, fragile et attentionnée. Le samedi matin, elle m'emmenait faire des courses dans un marché biologique, car elle voulait allonger ma vie. Le dimanche, nous faisions un peu de sport et de longues siestes. Par une sorte de lâcheté qui m'est naturelle, je n'osais pas téléphoner à Bantry. Le bonheur rend superstitieux. Mais j'avais le sentiment diffus que quelque chose d'inachevé flottait au-dessus de ma tête. Je me demandais comment allait Sandra. Sans me l'avouer, j'attendais une lettre en forme de quitus, qui n'irait pas jusqu'à me remercier, mais prendrait acte de mon élégance et me concéderait une espèce de courage dans l'accomplissement de cette séparation qui, finalement, devait arranger tout le monde.

Un matin, le téléphone sonna dans la chambre vers six heures trente :

— Monsieur Delamere, on a livré quelque chose pour vous à la réception.

J'ai dû être assez sec, je crois.

— Bon Dieu, vous n'avez pas l'impression de

nous réveiller ? Ça peut attendre neuf heures, non ?

— J'ai bien peur que non, monsieur.

Je me suis habillé à la hâte, sans penser à quitter mes pantoufles. Je suis descendu. J'ai demandé mon paquet au concierge qui, avec une grande économie des muscles faciaux, m'a gratifié d'un petit sourire en me montrant la porte :

— Votre livraison est à l'extérieur, monsieur.

J'ai poussé la porte à tambour, et j'ai vu quelque chose comme de la haine dans le regard du portier qui tenait dans chaque main la bride d'un cheval. Deux de mes chevaux se tenaient devant moi, en plein centre de Londres.

— La personne qui a déposé ces animaux a laissé un message, monsieur.

Le message en question était accroché au filet de mon étalon qui, par de brusques mouvements latéraux de la tête, essayait de saisir le bras du portier pour le mordre.

« Delamere, m'écrivait Sandra, il m'a semblé que tu leur manquais. Tu sais que je n'aime pas voir les animaux souffrir. J'ai gardé le vieux, par charité chrétienne. Les chiens te seront acheminés prochainement. »

Ce n'était pas absolument la lettre que j'attendais.

— Peut-être pourrions-nous les installer dans le parc, en face, en attendant que je m'organise ? demandai-je au portier.

— Je crains, monsieur, que cette partie du parc ne soit pas accessible aux cavaliers.

— Ni à leurs montures, je présume.

— Cela va sans dire.

— Dites-moi, c'est bien une femme qui les a déposés ? D'une quarantaine d'années, assez nettement rousse, avec des yeux bleus...

— Monsieur ne m'en voudra pas de ne pas avoir regardé ses yeux, compte tenu des circonstances, mais il s'agit bien de cette personne.

— Elle a acheminé les chevaux avec un van tracté par une land-rover n'est-ce pas ?

— C'est cela.

— Et elle était seule ?

— Oui, monsieur.

Sandra qui avait une peur panique des chevaux et qui, à ma connaissance, n'avait jamais conduit depuis l'obtention de son permis, venait de charger et décharger seule deux équidés dont un étalon, et de tenir le volant pendant deux heures avec près de deux tonnes de charge à l'arrière. C'était inquiétant.

— Soyez gentil de me tenir ces petites bêtes encore un peu, que je prenne mes dispositions.

— Pardonnez-moi, monsieur, mais je pense que cette situation mérite un pourboire adapté.

— Ne vous inquiétez pas, mon vieux. Comme vous avez les deux mains occupées, j'ai l'intention de vous glisser une pièce d'une livre dans l'oreille tous les quarts d'heure.

Je suis remonté dans la chambre. Tess était accoudée à la fenêtre, nue, contemplant le parc illuminé par le soleil matinal. Je me suis collé contre son dos. Elle sentait encore la nuit. D'une voix un peu enrouée, elle m'a demandé :

— Des contrariétés ?

— Au plus quelques contraintes. Nous venons de récupérer deux animaux domestiques.

— Vraiment ! Et lesquels ?

— Un étalon pur-sang et un prestigieux retraité des courses.

— Sérieusement ?

— Sérieusement.

— On risque d'avoir du succès quand on les emmènera se promener le matin dans le parc, dit-elle en souriant.

— Moins que lorsqu'on les rentrera se coucher le soir dans la chambre d'hôtel.

Mais rien n'inquiétait Tess, dès lors que nous étions ensemble.

Une pension pour chevaux à une trentaine de miles de Londres accepta d'accueillir les chevaux et d'en prendre livraison dans la journée, moyennant une somme très excessive. Certaines situations ne permettent pas de négocier.

Les jours passaient sans histoire, puisque nous étions heureux. Tess ne me décevait jamais. Ce que j'aimais par-dessus tout, c'était la désinvolture avec laquelle elle traitait le quotidien et son cortège de corvées. Elle veillait à ne vivre que pour l'essentiel, et prenait toujours la routine à contre-pied.

Elle avait fait transférer ses appels à l'hôtel et gardait son téléphone mobile branché en permanence. Depuis qu'elle avait élagué l'arbre de ses relations, chaque sonnerie devait en théorie être utile ou agréable. Il y avait peu de sonneries. Certains jours pas du tout. Elle dissimulait alors son amertume pour mieux se consacrer à moi. J'entretenais son espoir, mais il lui arrivait de ne plus y croire.

— Je pense que je me contenterais d'une carrière de second rôle, disait-elle. Je ne demande rien d'autre que de jouer, jouer régulièrement, vivre de mon art, consommer cette relation qui reste désespérément platonique. En cinq ans, j'ai tourné deux seconds rôles dans des films publicitaires et joué *Mademoiselle Julie* dans une salle presque vide où la moitié des spectateurs étaient des relations du metteur en scène et l'autre moitié avait reçu des places gratuites par une association du troisième âge.

Un écrivain, même si personne ne le publie, il est libre d'écrire et de croire à son talent. C'est la même chose pour un peintre. Les toiles existent, exposées ou pas. Et le musicien, qu'il ait ou non un public. Le comédien, lui, dépend absolument des autres.

Tess était toujours resplendissante, mais ce jour-là plus que d'habitude. Elle avait répondu à l'annonce d'un metteur en scène indien dans un petit journal de théâtre. Un ancien acteur, un petit nom. Il montait une pièce pour un des nombreux festivals de l'été. Nous étions en mars. L'Indien la convoqua. Longue discussion confuse et égocentrique sur la place de l'art dans la société et la place de sa pièce dans l'art. Il ne parla que de lui et ne demanda rien à Tess. Lui donna un nouveau rendez-vous dix jours plus tard, pour lui annoncer qu'il avait décidé de l'engager à l'issue d'une sélection impitoyable. « Incroyable, la fascination des jeunes acteurs pour ce festival ! » disait-il. Bien sûr, elle devrait participer aux frais ; c'était ce que faisaient tous les acteurs, en fonction de l'importance de leur rôle. Tess se sentit comme un enfant à qui on retire un jouet juste après le lui avoir offert. Elle se leva et sortit sans un mot.

Les jours passaient ainsi, dans l'attente de quelque chose qui aurait lancé la carrière de Tess. Je me laissais porter par cette existence, tout à mon étonnement de me voir vivre pour quelqu'un d'autre, moi qui, au fond, n'avais jamais vécu pour autre chose que cette vieille demeure de Bantry, pour que persévèrent dans leur être ces vieilles pierres qui me diraient peut-être un jour qui j'étais...

*D*epuis mon mariage, Mary s'était installée dans une petite maison indépendante, au bout de la propriété, derrière les étangs. Une petite ferme restaurée pour elle parmi les quatre qui menaçaient ruine. Je l'appelais régulièrement, comme le font les enfants lorsqu'ils quittent leur mère. Elle, par contre, ne me téléphonait jamais, par discrétion et parce qu'elle mettait un point d'honneur à ne jamais manquer de rien. D'où ma surprise de son appel en pleine nuit. Sa voix était assez neutre, ce qui ne signifie rien s'agissant d'une gouvernante anglaise.

— Harold, dit-elle, je crains que Sandra n'ait tenté de se donner la mort.

Il ne servait à rien de montrer de l'étonnement. Je la laissai poursuivre.

— Je dois ajouter que son geste s'est déroulé dans une sorte de cérémonial sous le signe du blanc. Elle s'est habillée de blanc — sa robe de mariée, très exactement —, s'est allongée sur les draps blancs, s'est recouverte d'un édredon brodé blanc et s'est ouvert les veines.

— Je suppose que le sang n'a pas coulé blanc, observai-je pour rester dans son ton.

— Pas exactement. Nous avons appelé le docteur Nichols qui a refermé la plaie en lui posant quelques points de suture.

— A-t-il fallu la transfuser ?

— Non, les choses n'avaient pas cette gravité-là. En réalité, elle a dû s'ouvrir les veines deux minutes avant que Betty ne vienne faire sa chambre. Betty ne vient jamais après onze heures. De plus, selon Nichols la blessure n'était pas profonde.

— Un appel au secours, en somme, un acte manqué plutôt qu'une véritable tentative.

— En tout cas, un affligeant manque de dignité. Je n'ai pas le souvenir qu'une telle mascarade ait jamais eu lieu à Bantry Hall, conclut Mary, qui ne me parut pas faire preuve d'une compassion exagérée.

— Je crois que tu as raison, Mary, c'est un total manque de dignité. Tu as bien fait de me prévenir. Il n'est pas utile que je vienne n'est-ce pas ?

— C'est inutile, tout est sous contrôle.

Nous avions parlé à voix basse, Mary et moi, comme si nous craignions l'un et l'autre que ce regrettable événement ne fût dévoilé au monde.

J'avais commandé le petit déjeuner. Tess s'était réveillée contrariée par cette vie à l'hôtel, dans une chambre qui n'était pas la nôtre, même si, disait-elle, elle avait parfaitement conscience du privilège que cela représentait. Elle insistait pour que nous prenions un appartement. De taille moyenne de préférence, et dans un quartier modeste et vivant. Je partageais cette lassitude pour une vie de saltimbanques sédentarisés qui me coûtait une fortune, mais j'appréhendais cette installation, non parce qu'elle consacrerait ma relation avec Tess, mais par une sorte de superstition difficile à expliquer. Après lui avoir promis de me mettre à la recherche d'une petite terre d'accueil, je lui fis le récit des événements de la nuit.

— Mon ex-femme a fait une tentative de suicide hier, semble-t-il, dis-je tout en ouvrant un journal pour lui montrer que je n'accordais aucune importance à la chose.

Elle répondit avec le même détachement :

— Ce qui veut dire que ta femme cherche à attirer ton attention sur elle.

— Je préférerais que tu parles de mon ex-femme ; c'est plus conforme à la réalité sentimentale.

— Juridiquement, j'ai bien peur que ce ne soit encore ta femme, mon amour, rétorqua t-elle en me gratifiant d'un sourire qui illuminait le monde.

— En amour le lien juridique n'a aucune importance.

— Sauf qu'il permet à une bourgeoise délaissée qui craint de perdre sa gamelle de se faire remarquer par des attitudes symboliques ridicules, continua-t-elle sur un ton doux et assuré.

— Si tu veux. Pourtant, je ne pense pas que son geste ait de signification matérielle, puisque je lui ai laissé l'usufruit de la propriété et la libre disposition de mes comptes en banque.

Tess resta silencieuse. Puis elle reprit, avec la même neutralité apparente.

— C'est le confort de ta présence qui lui manque. Que tu ne sois plus là lorsqu'elle le désire, que tu te sois éloigné sans qu'elle l'ait souhaité. Il manque quelqu'un pour tourner les pages de sa partition. Ça n'a rien d'original, tu sais. Les femmes de quarante ans abandonnées réagissent toutes de la même façon : « Mon Dieu, comme je suis malheureuse, pardonne-moi de ne pas t'avoir aimé, pardon de ne te pas t'avoir montré mon amour pendant vingt ans, si tu savais comme je t'aimais à ma façon, etc. » Alors, on fait une petite tentative de suicide. Quelque chose de gentil. Pas la pendaison, c'est mauvais genre ; on dit même que cela provoque une petite réaction sexuelle incontrôlable. Pas le coup de pistolet dans la tempe, madame ne ferait plus une morte présentable. Mais de mort, il n'est pas question. On s'ouvre un peu les veines, en espérant qu'à son retour, le mari prodigue offrira un bracelet en or de chez Van Arpels pour masquer cette vilaine blessure. La prochaine fois, elle te fera le coup du tube de neuroleptiques, et si ça ne marche pas, elle s'arrêtera là. Avant de passer aux choses sérieuses. C'est-à-dire au divorce pour abandon. L'usufruit de la propriété ne lui suffira plus. Elle exigera d'en récupérer la nue-propriété pour oublier ta cruauté mentale. Après quoi, elle se remettra en ménage. Soit avec un gigolo, soit avec un homme de vingt ans son aîné dont les pas rassurants sur le parquet de ton salon lui serviront de musique d'ambiance. Et dans tout cela, chose extraordinaire, la majorité des hommes de ta génération voit une manifestation, certes un peu maladroite, d'un amour retrouvé. Une tendresse enfouie sous un paquet de feuilles mortes, qui se réveille d'un long et morne hiver.

La démonstration était brillante, mais je n'étais pas convaincu.

— Sincèrement, dis-je, je ne pense pas que Sandra soit intéressée. Je ne cherche pas à défendre son geste, mais je ne vois pas de lien avec une peur de manquer ou de déchoir socialement.

— Ça y ressemble, en tout cas, dit durement Tess. Cette petite hémorragie calculée préfigure une suite assez prévisible. Je ne sais pas comment cette hystérie évoluera, mais sache qu'on ne se suicide jamais par amour. Par détresse, par folie, par vengeance, mais par amour, jamais. Les gens qui se suicident sont incapables d'accepter le monde tel qu'il est. Comme ils n'ont pas non plus la force

105

de le changer, ils se suppriment, eux. Sans considération pour ceux qui restent dans ce monde. On ne se suicide pas par amour, car l'amour c'est préférer l'autre à soi.

Elle vint se blottir contre moi, posa sa tête sur mon épaule, et reprit, au bout d'un moment :

— L'important, c'est que tu ignores son jeu. C'est déjà formidable que tu n'aies pas sauté dans le premier train pour Bantry.

Tess ne supportait pas le compromis. Elle venait de me le dire une nouvelle fois. Sans me menacer. En suivant un raisonnement dont l'imperturbable logique ne laissait aucune place à l'attendrissement ou à la compassion. J'étais convaincu qu'elle était dans le vrai.

Elle m'apparaissait comme l'incarnation de la concordance entre le verbe et l'action. En ce sens, elle avait quelque chose de désuet ; elle frisait l'obsolescence et la mise hors jeu. Son seul fanatisme était d'aimer, de m'aimer moi, dans la quiétude et l'harmonie. Elle rêvait de jouer la comédie, mais dans la vie n'en souffrait aucune. Cette jeune femme de quinze ans ma cadette me donnait des leçons et m'allégeait avec tact du poids du temps perdu.

Cet événement, assez banal au demeurant, avait constitué une première alerte. Je savais que Sandra ne s'en tiendrait pas là. Je pressentais qu'elle ferait en sorte de s'inviter comme troisième personnage d'une comédie légère pour la transformer en drame. Je savais aussi qu'à la moindre hésitation de ma part, à la moindre manifestation d'un sentiment de culpabilité, Tess disparaîtrait comme un songe.

Le deuxième appel de Mary arriva quelques semaines plus tard, à une heure normale de la journée. Sandra avait avalé une boîte de tranquillisants prescrits par le docteur Nichols. Une dose insuffisante, bien sûr. La femme de chambre l'avait découverte à onze heures du matin, effondrée à côté de son lit. La cure de sommeil s'était prolongée à l'hôpital St Andrew de Cambridge. Dont elle était sortie inopinément deux jours après, entièrement nue, pour arpenter quelques rues piétonnes du centre ville comme un fantôme hébété. Un policier l'avait entourée d'une couverture de laine et conduite au dépôt de police non sans avoir dressé un procès-verbal. Le fait avait été sobrement relaté dans un entrefilet du *Cambridge Chronicle*. Le docteur Nichols l'avait raccompagnée jusqu'à Bantry, après avoir signé le bon de sortie sous sa propre responsabilité — ce qui n'excluait pas des poursuites judiciaires. Toutefois, une telle déchéance ne pouvait être traitée comme un simple flux de poitrine. Le docteur Nichols jugeait impératif un séjour de moyenne durée en hôpital psychiatrique, qui pourrait, en premier lieu, attirer la clémence du juge et éviter une condamnation, même de principe, et lui permettre ensuite de recouvrer le minimum de dignité nécessaire à une vie sociale décente. Son comportement n'impliquant pas de risque pour les tiers, son placement dans un institut spécialisé ne pouvait se faire sans mon autorisation. Mary m'enjoignait d'appeler le docteur Nichols, ce que je fis aussitôt.

Nichols était notre médecin de famille depuis près d'une vingtaine d'années ; pour autant, il n'y avait aucune familiarité entre nous.

— Je ne pense pas que nous puissions faire l'économie d'un séjour dans une maison spécialisée, monsieur Delamere, déclara-t-il. Je crois que votre épouse a perdu le contrôle d'elle-même.

— En apparence, du moins, répondis-je. Je ne suis pas convaincu qu'il n'y ait pas dans tout cela un peu de simulation. Un comportement hystérique visant à attirer mon attention. Notez que cette attitude a débuté lorsque j'ai notifié à Sandra mon souhait de me séparer d'elle. C'est un rapport de force qui s'établit là. Sauf que nous vivons une époque civilisée. Au lieu d'être violente avec moi, Sandra se fait violence à elle-même. Mais le résultat est le même. Je suis victime de cette violence. Et de la façon la plus pernicieuse qui soit. Je suis pris en otage, docteur, et je le refuse. Quand Sandra aura compris que je ne suis pas décidé à céder, les choses rentreront dans l'ordre d'elles-mêmes. J'étais assez fier de mon petit discours, et de montrer une fermeté qui n'a jamais été mon principal trait de caractère.

— Si vous me permettez, répondit Nichols, je pense que la réalité est un peu différente. Je ne conteste pas que le comportement de Lady Delamere ait été empreint à l'origine d'une forme d'hystérie. Et qu'elle ait consciemment entretenu cet état, c'est bien probable. Mais je vous assure qu'elle a franchi un nouveau stade, où la maladie a conquis son autonomie. Les gens ont parfois de mauvais grains de beauté qu'on leur dit de faire ôter. Ils ne font rien. Vient le jour où le grain de beauté se transforme en cancer. Vous pouvez toujours dire à la victime qu'elle en est responsable, ça n'arrange rien. Votre femme a été très choquée de votre départ. Elle prétend que vous êtes parti sans préavis, alors qu'aucune dispute n'avait jamais éclaté entre vous. Elle est persuadée que votre départ n'a rien à voir avec elle, mais que vous êtes parti pour une femme plus jeune. Ou plutôt qu'une femme plus jeune vous aurait ensorcelé. Elle mène une sorte de combat contre le démon. Ses agissements seraient une espèce d'exorcisme, ou je ne sais quoi. Vous pouvez me croire, Lord Delamere, elle est malade.

— De quelle maladie parle-t-on, Nichols ?

— Je ne suis pas psychiatre, je suis un simple

médecin de campagne. Vous savez à quel point les maladies mentales sont difficilement saisissables. Je dirai que Lady Delamere souffre d'un cancer de l'âme. Comme pour tout cancer, la défense psychologique n'est pas neutre. C'est là que vous pouvez l'aider. Quant à la désignation précise de la maladie, je la laisse au psychiatre.

Il y eut un lourd silence, puis Nichols reprit :

— Pardonnez-moi, Lord Delamere, mais je crois que, dans son état actuel, votre femme est déterminée à se supprimer. La troisième tentative pourrait être la bonne. Bien entendu, je comprends votre position. Une attitude assez contemporaine, d'ailleurs. Qui consiste à dire : c'est son problème. Combien de fois ai-je entendu cela : « C'est son problème. » Sauf que, dans le cas qui nous préoccupe, ce n'est plus son problème, c'est le mien, c'est le vôtre.

— Dans cette maison spécialisée, pensez-vous qu'elle coure le moindre risque ?

— Je ne crois pas ; ils vont l'abrutir de calmants et d'anxiolytiques, ils vont la réduire à un stade végétal, sans risque pour elle-même. Dans trois semaines, ils vous rendront une poupée de son. Et alors, ce sera à vous de jouer. Avec votre autorisation, je vais la faire placer à Billings. Il serait bon que vous veniez la voir. Que vous lui parliez. Ainsi qu'au psychiatre qui la prendra en charge. Bonne chance, monsieur, et n'hésitez pas à m'appeler si vous avez besoin de conseil.

*T*ess était partie pour la journée. Une audition pour un rôle de faire-valoir de charme dans une émission destinée aux adolescents sur une chaîne musicale. Je trouvais mauvaise son idée de jouer les plantes callipyges aux côtés d'un présentateur malingre, mais elle y tenait. Pour préserver son indépendance financière vis-à-vis de moi. Pour que je ne puisse pas la soupçonner d'être intéressée.

J'en profitai pour appeler Emma, une vieille amie journaliste au *Times*. Nous avions été très proches l'un de l'autre jusqu'à ce qu'elle épouse un arriviste dont la soif de pouvoir n'avait d'égale que la médiocrité de son physique. Après de longues hésitations, il s'était engagé chez les travaillistes qui, selon lui, offraient de meilleures perspectives de carrière. Après une désastreuse incursion dans la crise d'Irlande du Nord, on avait préféré l'affecter à la politique agricole commune.

Pour son plus grand soulagement car, comme pour la quasi-totalité du personnel politique, le courage était chez lui une qualité embryonnaire pour ne pas dire mort-née.

Je n'attendais pas d'Emma une vision objective des choses, mais je connaissais peu de femmes.

— Sais-tu que le divorce est une chose légale au Royaume-Uni ? me demanda-t-elle du ton sarcastique qui était généralement le sien. Même un jeune lord poussiéreux est en droit de se séparer de son épouse, regarde la famille royale. Quitte-la. Sans attendre. Entame une procédure de divorce. Montre-lui que tu es décidé. J'ai toujours été surprise de ton indécision dans ce genre de choses. Tu t'étonnes qu'elle soit en train de fondre les plombs. Tu la laisses, du jour au lendemain, dans ton château plein de fantômes, entre tes chiens, tes chevaux et les domestiques du comte Dracula, sans une explication qui vaille. Tu lui dis que tu t'en vas, que tu lui laisses tout. Tu t'attendais à quoi ? Tu as eu exactement l'attitude du quadragénaire qui abandonne tout pour une jeune sirène.

— Je t'ai dit que je ne la connaissais pas encore lorsque j'ai quitté Sandra !

— Que cette rencontre ait précédé ou non ton départ n'a pas d'importance. Sandra sait qu'une autre femme s'est installée dans ta vie, certainement plus jeune.

— Comment pourrait-elle le savoir ?

112

— Parce que, sinon, tu serais revenu. Ou, au moins, tu serais passé de temps en temps, l'air de rien. Mais ton refus de communiquer avec elle montre que tu es ou que te sens engagé ailleurs. Et que parler à ta femme te donne l'impression de tromper ta maîtresse.

— Ce n'est pas une maîtresse, Emma.

— Cosmétiquement et légalement si.

— Si je mène les formalités de divorce jusqu'à leur terme, tu crois qu'elle ira jusqu'au bout ?

— Difficile à dire.

— Tu penses qu'une femme peut se tuer par amour ou par simple détresse ?

— Il faudrait lui expliquer que la tragédie grecque et tout ça, c'est passé de mode. Le romantisme aussi. Aujourd'hui, près de la moitié des Anglais divorcent, et la moitié des Anglaises ne se suicident pas. Non, le conseil que je peux te donner, c'est de clarifier la situation lorsqu'elle sortira de cette dépression passagère. Tiens, tu te souviens de Sarah et Philip Wilkinson. Deux ans après leur divorce, ils ont décidé d'acheter deux maisons côte à côte, comme ça les enfants passent du père à la mère sans se mouiller. Intelligent, non ?

— Ils ne se sont jamais aimés, me semble-t-il ?

— Ils montrent simplement qu'ils ont eu raison de ne pas le faire.

113

Tess revint très dépitée de son rendez-vous : ils l'avaient trouvée trop grande. Au fil des semaines, les échecs se succédaient. Pas la moindre touche, pas même une figuration. Chaque tentative ravivait une plaie qui peinait à cicatriser.

Il pleuvait sur le parc. Elle se campa devant la fenêtre en me tournant le dos et se mit à pleurer, doucement, les larmes coulant sur ses joues comme les gouttes de pluie sur la vitre, au point de ne plus savoir qui réfléchissait l'autre.

Je me disais parfois que cette façon qu'elle avait de se montrer entière, inflexible, pouvait passer pour de l'arrogance. Elle n'était pas longue à faire comprendre à ses interlocuteurs qu'elle avait peu d'estime pour eux et qu'à part quelques vivants qui l'inspiraient, elle n'admirait que des morts. Elle attendait une rencontre, un metteur en scène subjugué par sa foi dans le théâtre, un artiste sincère qui deviendrait son bienfaiteur, et les semaines passaient sans la moindre rencontre encourageante.

Je décidai d'aborder le problème différemment, en la brusquant un peu :

— Tess, tu attends un prince charmant qui n'arrivera jamais. Tu me fais penser à ces bonnes grosses filles de la campagne qui passent leurs journées assises sur les marches de la fontaine du village dans l'espoir qu'un jeune citadin en cabriolet viendra les enlever. Si tu continues comme ça, le temps passant, la frustration se transformera en aigreur. Une aigreur qui viendra lentement ronger ton intelligence et ta lucidité, pour finir par ruiner notre relation. Les gens de théâtre ne reconnaissent pas ton talent ? Ignore-les. Crée ton propre spectacle. Elle hocha la tête en silence, puis me regarda avec une infinie tendresse.

— Alors je veux que ce soit toi qui me mettes en scène, répondit-elle.

— Marché conclu ! Demain, je dois aller à Bantry pour la journée, juste une formalité. Je suggère que tu fouilles les librairies théâtrales à la recherche d'un texte classique ou moderne. Deux ou trois personnages au maximum, dont une femme dans le rôle principal. Nous ferons ensuite une seconde sélection, et si rien ne nous convient nous écrirons ensemble. Je n'ai jamais rien écrit de ma vie, mais pour toi je veux bien essayer.

— Tu vas à Bantry demain ? demanda-t-elle d'une voix qui semblait trébucher sur chaque syllabe.

— Simples formalités administratives. Ma femme applique ton programme à la lettre. Nous en sommes à la tentative de suicide par absorption d'une dose excessive de neuroleptiques. Jusqu'ici, tout est normal.

— Mais pourquoi dois-tu aller à Bantry ?

— Je te l'ai dit, un petit problème juridique. La loi dispose que je suis le seul habilité à signer ses papiers d'admission dans un institut psychiatrique. Mon médecin de famille va pourvoir à son acheminement. Il me dit qu'elle est vraiment à bout.

— Tu vas la voir ?

— Ce n'est pas prévu.

— Elle siffle, tu accours.

— Mais non, tu donnes de l'importance à quelque chose qui n'en a pas.

— Je crois que tu commets une grave erreur. Si elle sait que tu es venu — et elle le saura —, tu n'en sortiras jamais. Elle va te détruire doucement, méthodiquement. Elle sait l'homme que tu es. Elle sait qu'il coule dans tes veines deux mille ans de culpabilité judéo-chrétienne, elle va s'atteler à les distiller goutte après goutte. Je crois qu'elle a dépassé le stade qui visait à te ramener à elle. Maintenant, elle va s'employer à détruire la saveur de ta vie, en bonne psychopathe intelligente, pour que ton existence perde son sens. Si tu vas à Bantry demain, elle pourra savourer sa première victoire. Je ne suis pas jalouse, je te fais confiance, mais tu as tort.

Le psychiatre qui allait soigner Sandra était un homme de mon âge, mais ce n'est pas me flatter de dire qu'il paraissait nettement plus âgé.

Un introverti recroquevillé sur ses défenses. De ces intellectuels qui systémisent à plaisir pour faire du chaos une science exacte. Il me considéra avec dédain, entrecoupant ses questions de soupirs qui traduisaient un ennui manifeste.

— Avant sa première tentative, vous n'aviez rien remarqué d'obsessionnel chez elle, du genre, passer la serpillière deux fois au même endroit, laver plusieurs fois le linge au prétexte qu'il sent l'humidité, des accès de violence parce que les choses ne sont pas à leur place, etc.

— Rien de tout cela, j'en ai peur. Pour une raison simple : nous avons du personnel qui veille à ces détails.

— C'est vrai, poursuivit-il avec dédain, la richesse ne favorise pas l'observation.

— Soyez gentil de ne pas être désagréable inutilement, répliquai-je.

— Pourquoi cette première tentative, d'après vous ?

— Je suppose que, fondamentalement, Sandra supportait mal notre séparation.

— Des enfants ?

— Non.

— Volonté délibérée, stérilité ?

— Stérilité.

— Elle, bien entendu.

— Non, moi.

— Bon. Des manifestations d'un comportement maniaque ? Un repli général sur les aspects matériels de l'existence ? S'est-elle mise à collectionner des bouts de chiffons ? Un problème d'alcool ?

— Non.

— Avez-vous observé des changements notables dans sa sexualité ? Émergence d'une perversité, masochisme ?

— Non plus.

— Elle n'est donc pas maniaque, tout simplement dépressive. Une grosse dépression.

— Que vous allez soigner comment ?

— Le problème n'est pas tellement de la soigner, mais de la stabiliser. Antidépresseurs, neuroleptiques, afin qu'elle ne soit plus un danger pour elle-même. Pour les causes profondes, c'est autre chose, on verra plus tard. Revenez me voir dans une quinzaine pour sa sortie.

— Vous allez tout de même parler avec elle ?

— Pour l'instant, d'après ce que j'ai vu, elle en est incapable. J'essaierai le moment venu. Je ne pense pas que ce soit un cas très original. Avez-vous déjà eu l'occasion de remarquer comment les chiennes vieillissent. Elles deviennent méchantes. En prenant de l'âge, les femmes deviennent dépressives. Il suffit d'un facteur déclenchant et hop ! Chaque espèce a ses particularités, cher monsieur. Les hommes c'est différent, passé quarante ans ils cherchent à combattre leur appréhension de la mort par des conquêtes féminines toujours plus jeunes. Je suis prêt à parier que c'est

118

votre cas. Finalement vous n'avez pas à vous inquiéter, vous formez un couple normal.

Quand je suis rentré à Londres, Tess ne m'a posé aucune question. Je n'ai pas non plus commenté mon séjour. Tess avait rapporté de son tour des librairies théâtrales une quinzaine de pièces qui correspondaient aux critères que nous nous étions fixés. Mais aucun des personnages féminins ne convenait à son âge ni à son physique. Le théâtre classique anglais nécessitait trop de personnages et tous avaient déjà fait l'objet de mille interprétations insurpassables. Par humilité, nous l'avons exclu. Le théâtre de boulevard ne convenait pas au tempérament trop exalté de Tess, qui ne pouvait dire un texte que s'il exprimait le plein, le beau, l'émotion. Le théâtre « intellectuel » nous rebutait. Il ne nous restait plus qu'à écrire une pièce sincère, accessible sans être facile, sensible sans être larmoyante, drôle sans causticité ni aigreur.

Nous décidâmes de nous mettre ensemble à l'écriture. Je ne savais pas où nous allions mais j'espérais que cela redonnerait un projet à Tess. Les choses se passèrent comme prévu. Elle retrouva sa gaieté et son assurance.

Nous vivions ensemble depuis quatre mois. Notre couple n'avait connu aucune crise, tout au plus quelques nuages d'altitude. L'anticyclone veillait sur nous, nourri par sa générosité à elle et par mon inaptitude aux conflits. J'étais l'unique amour, elle était la dernière femme. Nous étions la rencontre de l'improbable et de son double.

Ce n'est que bien des semaines plus tard que je réalisai avec quelle facilité et quelle bonne conscience j'avais éliminé Sandra de mon univers. L'indignité de son comportement facilitait évidemment ce rejet. Tess et moi n'étions coupables de rien, puisque nous nous aimions. Rien à voir avec ces passions qui pivotent autour d'une relation exclusivement charnelle. Nous étions tous les deux du côté de Dieu et de sa morale.

Nous ne parlions jamais de Sandra. Tess n'était pas femme à transformer ses mises en garde en litanies.

Le jour de mon départ pour Billings, afin de ramener ma femme à Bantry, Tess prit le train pour le Dorset. Une courte visite à ses parents, afin de me laisser le champ libre. Une attention délicate, qui montrait sa confiance.

Je suis arrivé à l'institut psychiatrique dans un état de parfaite décomposition : migraine, palpitations, tremblements. L'endroit était lugubre, d'un calme inquiétant. Quelques silhouettes voûtées déambulaient dans le parc. Des femmes sans âge, en robe de chambre, le visage gonflé par l'alcool, les paupières alourdies par les tranquillisants. L'endroit était conforme à ce qu'avait laissé entendre le psychiatre. Ce qu'on fournissait là, c'était une mise en parenthèse, une somnolence forcée, un soulagement par l'abrutissement. Aucun espoir d'amélioration dans ce huis-clos. Aucune guérison de l'esprit. Satan refoulé par intraveineuses.

Le psychiatre avait la mine encore plus renfrognée que lors de notre première rencontre.

— Vous n'avez pas l'air dans votre assiette, observa-t-il d'emblée. Malheureusement, ça ne va pas s'arranger avec ce que je dois vous dire. J'ai parlé presque une heure chaque jour avec votre femme. C'est une paranoïaque psychorigide. Elle répète toujours la même chose : « J'aime mon mari, je ne vivrai pas sans lui, j'ai sacrifié ma vie pour lui. S'il me quitte, je vais mourir, je retrouverai la paix de Notre Seigneur. »

— Elle a parlé du Seigneur ?

— Oui, à plusieurs reprises, et même du diable. Elle est convaincue que Satan vous habite, qu'il s'est logé dans le corps d'une jeune femme qui est votre maîtresse. Elle pense que vous êtes envoûté, et que vous ne reviendrez jamais vers elle parce que vous n'êtes pas homme à rebrousser chemin. Sa décision est prise. Elle va se supprimer. Quelque chose me dit que la prochaine tentative sera spectaculaire. C'est une violente. Pas pour les autres. Je la qualifierais de tueuse en série pour elle-même. D'autre part, c'est une femme intelligente. Pardonnez-moi d'être aussi direct, mais vous pourrez recourir à autant de psychologues, de psychiatres, de psychanalystes que vous voudrez, ça ne servira à rien. Elle ment, elle simule ; elle dissimule, aussi. Elle rend inaccessibles les fondements mêmes de sa personnalité. C'est pour cela que je suis pessimiste. Notre travail s'arrête là. Faites un suivi psychiatrique si vous avez de l'argent à perdre. Je vais vous donner un traitement de tranquillisants. Et je vais être encore plus direct : je ne vois que trois hypothèses réalistes. La première, c'est que vous retournez auprès de votre femme. Je pense que cela mettra fin aux tentatives de suicide, mais elle ne redeviendra pas pour autant normale. Elle est allée trop loin, personne ne pourra vraiment la restructurer. Il faudra lui donner ses médicaments le matin et la poser au coin du feu pour le reste de la journée. Deuxième hypothèse : vous ne cédez pas à ce chantage, qui n'est plus conscient chez elle depuis déjà quelques semaines. À la prochaine amorce de geste autodestructeur, vous êtes en droit de la faire interner pour longtemps. Dernière hypothèse : vous refusez le chantage tout net et vous laissez la destinée faire son œuvre. Votre choix est entre un légume dans un fauteuil à bascule, une aliénée enfermée et une morte. Vous savez tout, maintenant ; je vous la rends.

Sandra s'appuyait au bras d'une infirmière. Amaigrie, la peau blanchie, sa belle chevelure décimée, elle semblait avoir vieilli de quinze ans et avait toute l'apparence d'une femme qui a décidé de quitter la vie. Elle me fixa une seconde, puis baissa les yeux, comme aspirée par le vide. L'infirmière l'installa à l'arrière de la voiture. Billings se trouve à une quarantaine de miles de Bantry. Il se mit à pleuvoir, et longtemps le martèlement des grosses gouttes sur la carrosserie meubla seul le silence. J'observais dans mon rétroviseur le regard opaque de Sandra, presque blanc et que plus rien ne semblait accrocher, et je luttais. Contre l'attendrissement et la pitié.

Ce fut elle qui parla la première.

— Alors, c'est vrai que tu ne m'aimes plus ?

Je répondis avec beaucoup de fermeté.

— Je ne crois pas que l'endroit soit approprié pour ce genre de conversation. Et je ne pense pas non plus que cette façon que tu as de te laisser aller incite à t'aimer.

— Si ce n'était pas le cas, tu m'aimerais encore ? demanda-t-elle d'une voix tremblante.

Elle n'était pas en état d'avoir une véritable conversation, mais j'avais, moi, besoin de lui parler comme si elle n'était pas malade, comme si nous étions encore un couple capable d'avoir un dialogue où chacun assume ce qu'il dit et entend ce que dit l'autre.

— Sandra, il faut que tu acceptes qu'un homme, ou une femme, ait parfaitement le droit de quitter l'autre sans que cela se transforme en tragédie shakespearienne, sans mettre sa santé ni sa vie en jeu.

— Je ne t'ai rien demandé, Harold, répliqua-t-elle en s'essoufflant dès les premiers mots. Notre mariage était toute ma vie. Je crois au sacrement du mariage. Tu n'avais pas le droit de m'abandonner. Légalement, oui ; tout le monde divorce aujourd'hui. Tout le monde copule, aussi. Madame a les seins qui tombent, j'en change. Madame n'est plus l'orgueil de son mari, je l'abandonne comme un vieux chien au moment des départs en vacances et j'en prends une plus jeune. Et d'expliquer : « Il y a vingt ans, je ne connaissais rien de la vie ; nous avons évolué différemment, nos chemins se séparent. Cette jeune femme pour laquelle je te quitte, si tu savais le bien qu'elle me fait. Il faut savoir s'adapter ; l'intelligence c'est la faculté d'adaptation. » C'est bien ça, n'est-ce pas ?

— Tu caricatures un peu, Sandra.

— C'est toi la caricature, Delamere. Ne crois pas que j'aie envie d'en finir par amour pour toi. Je veux mourir parce que je ne crois plus en rien, et je ne crois plus en rien parce que j'avais confiance en toi.

— Tu te fais la part belle, Sandra. Tu oublies comment tu m'as épuisé avec tes névroses et avec quelle distance, quel dédain tu me considérais. Tu me traitais comme ces carnassières américaines qui échangent une petite extase hebdomadaire contre des voitures, des maisons et un gros portefeuille d'actions. Sauf que, toi, tu n'es pas intéressée. Mais pendant que je faisais ces voyages que tu me reprochais, tu vaquais, inconséquente, irresponsable, à ta maniaco-sculpture, sans un regard pour moi. Tu n'as jamais voulu l'avouer, Sandra, mais depuis toujours, tu as peur des autres, tu as peur du monde, tu trembles d'avoir à affronter la réalité. Tu t'es précipitée dans les bras du premier homme qui pouvait t'offrir une tour médiévale dans laquelle te cloîtrer pour la vie. Et surtout, ne me fais pas le coup de la femme qui a sacrifié sa maternité avec un homme stérile. Cette impossibilité t'arrangeait, elle protégeait ton confort. Tu aurais été contrainte d'être responsable de quelqu'un. Impensable ! Tu ne supportes pas l'idée de notre séparation, non parce que je suis un amour mais une nécessité. Je suis l'ampoule de quelqu'un qui ne parvient pas à dormir la lumière éteinte. Je suis persuadé que tu es sincère lorsque tu parles d'amour à mon égard. Sauf que ton amour est un produit de synthèse qui t'arrange. Qui ne comporte ni dévotion ni écoute de l'autre. Un simple accaparement que l'on décrète comme d'autres promulguent des lois.

Son regard de catafalque prit soudain une lumière folle, et elle répondit d'une voix sourde :

— Tu as décidé de me tuer, Harold, mais pourquoi t'acharner ? Tu vas être débarrassé de moi, sans avoir rien à faire. Je sais que tu es sous l'emprise diabolique d'une putain qui ne s'intéresse qu'à ton argent. Elle ne te donnera jamais ce que je t'ai donné. Qu'y a-t-il d'intéressant chez un quadragénaire de ton espèce, à part l'argent ? Rien. Mais tu vas avoir le champ libre. Pas de cadavre, pas de crime, et pourtant je serai morte. Et mon cadavre sera entre elle et toi, et toi, tu seras seul avec ta conscience.

La grille de Bantry se profilait au bout de la route. Nous n'avons plus échangé un seul mot. La messe était dite. Mary et Betty ont accompagné Sandra jusqu'à sa chambre. J'ai repris la direction de Londres.

Tess m'a trouvé lumineux, animé d'une belle énergie. À moi, elle m'apparaissait radieuse comme peuvent l'être ceux qui ont choisi d'être conséquents avec eux-mêmes et qui s'y tiennent quelles que soient les circonstances. Nous décidâmes de fêter ma résistance au chantage de Sandra devant un plat de fettucini aux cèpes arrosé de Lambrusco dans un restaurant italien de Sloane square. D'humeur constructive, euphorisés par le vin qui pétillait dans nos bouches comme les premières salives échangées par deux adolescents, nous avons travaillé tard dans la nuit à notre projet de pièce de théâtre.

J'étais persuadé que ma réaction face au mélodrame anachronique dans lequel Sandra voulait m'entraîner avait été la bonne. J'avais eu raison de lui montrer que l'amour ne se quémande pas et qu'on ne pouvait prétendre lier l'autre par la pitié. Je n'avais pas cédé, et l'odeur entêtante du drame commençait à s'évaporer.

J'étais conforté dans cette voie par les nouvelles rassurantes que je recevais clandestinement par Mary. Sandra reprenait du poids. Son entourage louait son énergie retrouvée. Elle ne s'était pas remise à sculpter, mais consacrait des journées entières à agencer son atelier. Elle faisait de longues marches au bord des étangs, et recevait régulièrement un vieux prêtre catholique. Elle allait parfois le soir à Cambridge, assumant avec beaucoup de naturel ses errements passés. Je me surprenais à lui rêver une liaison qui lui donnerait une perspective.

Pour Tess et moi, ce fut le début d'une ère de grâce. Nous nous félicitions d'avoir traversé sans encombre cette période déséquilibrante pendant laquelle Sandra s'était invitée dans notre vie. Cette menace écartée, le présent reprenait toute sa saveur. L'écriture de la pièce occupait la plus grande partie de nos journées. Les personnages étaient passés en un mois d'une ombre floue à une ébauche de forme. Nous approchions du moment où le miracle était censé se produire, celui où les personnages prennent leur autonomie et se mettent à parler sans rien demander à leur créateur.

Tess voulait me conduire sur les terres de son enfance. Elle projeta un voyage dans son Dorset natal, au cœur de la lande de Thomas Hardy. Elle pensa d'abord que nous pourrions séjourner chez ses parents, à Dorchester. L'idée me déplut, pour des raisons que j'eus du mal à lui expliquer. Je ne craignais pas d'officialiser notre relation, bien au contraire, mais j'éprouvais un certain malaise à rencontrer ces gens à peine plus âgés que moi, alors que mon divorce n'en était même pas au stade de l'instance. Je laissai toutefois la porte ouverte à une éventuelle rencontre, en espérant que les circonstances permettraient de l'éviter.

Elle trouva un cottage à louer près de Lyme Régis. C'était une petite maison de pierre au toit de tuiles plates qui ne comportait que quatre pièces modestement meublées. La fermette s'ouvrait sur une vallée occupée par un bras de mer, qui serpentait à travers des prairies verdoyantes. Nous avions emporté un peu de nourriture d'avance : essentiellement des céréales, du soja, du thé de Yunan, des biscuits biologiques, à quoi j'avais ajouté quelques bouteilles de bordeaux et un flacon de pur malt. Des fenêtres à petits carreaux, nous n'avions aucune vue sur la mer, ce dont je me réjouissais, ayant toujours jugé cette masse d'eau hostile et bruyante. Il suffit de voir comment elle pourrit les boiseries et rouille les huisseries des maisons. Tess n'était pas plus intéressée que moi par cette immensité humide qu'elle trouvait lugubre et qu'elle abandonnait à ceux qui en vivaient. Nous demeurions une grande partie de la journée au lit. Un grand lit en fer forgé peint en vert, dont le sommier nous renvoyait sur les côtés comme un chemin bombé. Pourtant, nous tenions le pari que nous avions fait de passer plus de trois heures par jour enlacés. De face, l'exercice interdisait toute autre activité ; j'appris donc à lire par-dessus son épaule.

L'écriture ne nous prenait pas plus de deux heures. Le reste de la journée, nous marchions à travers la campagne, engoncés dans nos cirés huilés parce que le vent de septembre venu du large s'amusait à nous plaquer contre les bosquets d'épineux. Nos jambes molles d'un amour effréné nous portaient chaque jour avec un peu plus de difficultés. Tess jouait tout le temps à me rendre fou d'elle. Nous sûmes à la fin de ces petites vacances qu'après en avoir si souvent rêvé, nous ne faisions réellement plus qu'un.

Ses parents habitaient à la sortie de Dorchester, en direction de Abbotsbury. Sur la route qui nous y conduisait, je réalisai que Tess ne m'avait jamais parlé d'eux, sauf pour me dire qu'une parfaite entente les liait et qu'ils avaient manifesté à leur fille un amour constant. Elle les considérait comme un modèle de couple, au point qu'elle pensait que, si l'un d'entre eux venait à disparaître, l'autre suivrait naturellement, comme on dit que font les cygnes.

La maison était accolée à deux autres bâtisses de couleur brique. La porte s'ouvrit sur une atmosphère confinée. Les parents de Tess, après avoir hésité à se donner l'air de ne pas nous attendre, se précipitèrent vers nous. Le père était un homme trapu, de taille moyenne. Sa mère se tenait en retrait, essayant de se défaire discrètement d'un tablier qu'elle avait revêtu pour faire des gâteaux. Tous deux me souhaitèrent la bienvenue avec chaleur. J'étais à peu près aussi intimidé qu'un adolescent qui frappe à la porte d'un château pour un emploi de domestique. La vérité est que je n'avais jamais pénétré de ma vie dans la maison de gens aussi modestes.

Les parents de Tess nous firent asseoir pour boire le thé. Sa mère avait un beau visage, joliment dessiné, mais je ne retrouvais ni dans le sien, ni dans celui de son mari, aucun trait ou expression que j'aurais pu distinguer chez la femme de ma vie.

Ils me posèrent peu de questions. Ils ne devaient probablement pas connaître ma situation, car ils me demandèrent si je n'avais pas trouvé le prix de location du cottage trop élevé. Je ne m'en souvenais pas bien, mais je ne croyais pas avoir payé pour la semaine ce que me coûtait notre chambre d'hôtel à Londres pour une nuit. Je crus comprendre que le père de Tess venait de connaître deux ou trois années de chômage, mais qu'il s'en sortait en entretenant des jardins pour de grosses familles de la région. Il m'annonça avec fierté qu'il envisageait de créer sa propre entreprise. La mère de Tess m'interrogea sur la carrière de sa fille et me demanda quand, selon moi, on la verrait à la télévision. Je lui répliquai que leur fille avait fait le choix d'aborder cette carrière d'une façon très pure et que cette approche exigeait plus de temps. Tess leur parla de notre projet de pièce, et ils ouvrirent de grands yeux qui montraient toute la confiance qu'ils faisaient à leur enfant. Nous nous quittâmes en nous embrassant.

Dans la voiture, Tess, me voyant soucieux, voulut savoir si quelque chose ne s'était pas bien passé :

— Oh ! pas du tout, m'empressai-je de lui répondre, tes parents sont des gens absolument charmants. Je me demandais seulement si je mérite ce que j'ai.

Nous avions relu ensemble très tard dans la nuit le premier acte de notre pièce qui, sans être tout à fait satisfaisant, prenait bonne figure, lorsque le téléphone sonna. C'était Mary, et son habituel ton détaché pour annoncer les pires catastrophes.

— Harold, je n'ai pas voulu t'alerter plus tôt mais j'ai bien peur que Sandra n'ait disparu depuis près de quarante-huit heures.

Il est plus éprouvant d'être replongé dans les ennuis quand on pense en être sorti pour de bon que d'y être maintenu par un flot constant de complications.

— Sais-tu comment elle a quitté Bantry ?

— Je n'en ai pas la moindre idée. Les voitures n'ont pas bougé de place. J'ai joint Mitchell, qui fait le taxi et l'ambulance ; il ne l'a pas vue.

— A-t-elle appelé Nichols ?

— Non, il est venu ce matin pour Betty, qui a eu un petit malaise, mais il n'a eu aucune nouvelle de Sandra depuis son retour de l'hôpital psychiatrique. Entre parenthèses, il semble que Betty soit enceinte.

— Et de qui, grands dieux ?

— Je l'ignore !

— Est-ce que Sandra a emporté des vêtements, des valises ?

— Non, rien.

— Un message, une lettre ?

— Non.

— Peux-tu regarder si des médicaments ou je ne sais quoi de dangereux ont disparu. Prends ton temps, je ne raccroche pas.

Mary saisit le combiné une dizaine de minutes plus tard, légèrement essoufflée :

— Ses neuroleptiques et ses antidépresseurs sont dans sa chambre. En revanche, ton armoire à fusils était mal refermée. Il manque le *Henry Atkin* et une boîte de cartouches pour grand gibier.

Cette nouvelle me fit l'effet d'un coup de poing dans l'estomac.

— Les chiens sont-ils là ?

— Oui, près de moi.

— Rien d'anormal dans leur comportement ? Ils ne cherchent pas à t'attirer quelque part ? Ils n'aboient pas d'une façon particulière ?

— Dieu merci, non.

— Robert a-t-il fait le tour des terres ?

— Oui, c'est en tout cas ce qu'il m'a dit.

— Il n'a pas observé de regroupement d'oiseaux tournant dans le ciel, ou quelque chose comme ça ?

— Je vais le lui demander, mais je ne crois pas.

— Conclusion : Sandra a quitté Bantry avec un *Henry Atkin* et des munitions. Je pense qu'il faut alerter la police du comté et faire lancer un mandat de recherche par Scotland Yard.

Dire que je n'étais pas inquiet serait mentir. Une idée maintenait mon angoisse à un niveau acceptable : il se pouvait que Sandra soit partie avec une somme de liquide assez importante pour lui permettre de tenir quelques jours, une quinzaine au plus. Pendant cette période, elle pouvait très bien vivre sans laisser de traces. Au-delà, elle serait contrainte d'utiliser son compte bancaire que je m'empressai de mettre sous surveillance.

Trois semaines après sa disparition, les comptes de Sandra étaient restés figés. Pas le moindre mouvement. La police de Cambrige, associée à Scotland Yard, passa le comté au peigne fin. Rien, pas un seul indice. Un inspecteur vint s'assurer que je n'étais pour rien dans la disparition de ma femme. Le fait que je possédais tout et elle rien parut le satisfaire.

Puis, j'eus l'idée qu'elle avait pu partir avec le fusil et, après avoir renoncé à s'en servir contre elle, l'avait cédé à un antiquaire ou je ne sais quel marchand d'armes de qualité. Il devait bien valoir dans les deux mille livres. Payé en espèces, cela correspondait à près de deux mois d'une vie au ralenti. Ces deux mois s'écoulèrent. Battues et recherches furent abandonnées. Sandra n'avait pas touché à son compte en banque, ni donné le moindre signe de vie. Pas de doute : elle avait programmé sa disparition, conformément à sa prédiction. Je ne connaissais personne de son entourage qui fût susceptible de la cacher sans me faire parvenir de signe d'apaisement. Elle n'avait plus de famille, et n'avait jamais ressenti la nécessité de se faire des amis. Sa nature ne la portait pas à la confidence. Pourtant, Mary avait mentionné un vieux prêtre.

Je me mis à sa recherche et ne fus pas long à le trouver. Cet homme approchait des quatre-vingts ans. Sa paroisse couvrait une petite région. Sa mine était celle des ecclésiastiques qui subissent le déclin de l'institution religieuse en célébrant dix fois plus d'enterrements que de baptêmes. Il me reçut dans un presbytère sans confort, qui sentait un mélange de graisse cuite et de cire pour les meubles. Il reconnut qu'en échange d'une petite contribution à l'entretien de son église il avait visité Sandra à plusieurs reprises.

Il disait avoir été subjugué par la vigueur et la justesse de sa foi, mais il avoua que sa ferveur

135

un peu excessive l'avait troublé. Selon lui, elle n'avait jamais évoqué l'idée de mettre un terme à son existence. Elle l'avait simplement interrogé sur le martyre du Christ, et celui de certaines saintes, à plusieurs reprises, comme une enfant qui demande qu'on lui lise encore et encore la même histoire. Puis elle avait annoncé qu'elle partait pour un long voyage, en Nouvelle-Zélande ou en Australie, il ne savait plus.

Bien entendu, je fis vérifier tous les vols sur ces destinations. Scotland Yard avait déjà effectué ses propres recherches. Sandra n'avait pas quitté le territoire.

Tess accueillit la nouvelle de la disparition de Sandra sans réaction apparente. Elle se comportait comme si la chose n'avait pas eu lieu, et faisait en sorte que cela n'affecte en rien le cours de notre vie. Mais je la sentais fébrile, lorsqu'elle surprenait mes regards flous et fixes qui allaient s'échouer sur des objets indifférents, et dans lesquels passaient un doute et une peur que j'avais du mal à dissimuler. Les jours s'écoulant, le silence finit par peser lourd.

*L*a mort est un juge de paix. Si Sandra était morte, c'est elle qui avait raison. Ce n'était pas la mort qui lui donnait raison, mais la maladie. Car si elle était morte, c'est qu'elle était malade. Si elle était malade, mon erreur de jugement lui avait coûté la vie. J'étais donc coupable.

Je passais mes journées emprisonné dans des raisonnements qui s'emboîtaient comme des poupées russes, et qui se nourrissaient de deux mille ans de culpabilité triomphante.

Tess me fit comprendre un soir qu'elle n'était pas dupe d'une certaine forme de lâcheté qu'elle voyait grandir en moi et qui ne manquerait pas d'altérer à la longue l'image qu'elle avait de l'homme de sa vie.

— Harold, il faut que je te dise, commença-t-elle, je crains que Sandra ne soit sur le point de l'emporter. Tu ne parles plus. Tu te réveilles la nuit en sursautant comme un pantin, tu n'arrives plus à écrire une ligne de notre pièce, tu bois davantage, tu n'as plus aucun humour, tu confonds rapports amoureux et saillie. Pourtant, nous en avons suffisament discuté : tu as toutes les raisons de penser qu'elle est en vie. Mais tu te laisses attirer par le vide, et tu y prends plaisir.

Je m'efforçai de lui répondre avec sincérité :

— Je suis convaincu que Sandra n'en est plus, depuis longtemps, à jouer avec mes nerfs — ou les tiens. Elle a commencé par simuler la dépression, puis elle est entrée dans une vraie dépression. Cette dépression s'est transformée en une vraie pulsion suicidaire. Je ne peux pas exclure qu'elle ait fait quelque chose d'irrémédiable.

À ma stupeur, je vis alors la haine déformer le visage de Tess, qui m'assena :

— Soit. Envisageons l'hypothèse qu'elle soit morte. Et après ? C'est son choix. Tu n'es pas responsable d'elle. Elle ne t'appartient pas ; tu ne lui appartiens pas non plus. Elle n'a aucun droit de te river à elle de cette façon. Si elle est morte, et que tu continues à vivre intensément avec moi, alors seulement j'aurai la certitude que tu m'aimes d'un amour absolu.

Dès lors, Tess m'est apparue lointaine, étrangère, immatérielle. Je l'ai quittée le lendemain matin, pendant qu'elle prenait son bain en laissant

une fois de plus toutes mes affaires, avec le sentiment que ma vie basculait dans le vide.
Je suis retourné à Bantry où j'ai passé la soirée avec Mary. Nous n'avons parlé de rien. J'ai retrouvé mes vieilles pantoufles et mes deux chiens, puis j'ai fait un tour du propriétaire, longeant l'étang jusqu'aux écuries. J'ai caressé mes chevaux et je me suis demandé si tout cela n'était pas qu'un songe avant de m'endormir d'un sommeil de plomb comme je n'en avais pas connu depuis des mois. Tess me manquait. Sandra aussi.

Quelques années auparavant, un de mes collègues de l'état-major de l'armée de l'air s'était donné la mort dans un petit bois du Yorkshire sans qu'on sache bien pourquoi. Après des semaines de recherches infructueuses, sa femme avait eu recours aux services d'un magnétiseur qui avait très précisément localisé le corps en suspendant un pendule au-dessus d'une carte détaillée. En désespoir de cause, j'eus l'idée de faire de même. Robert, mon homme à tout faire, était grand amateur de toutes ces disciplines qui rendent la vie plus mystérieuse, et donc plus acceptable. Il me recommanda un certain Gabriel Burns, qui habitait une petite bourgade à quelques miles au nord-ouest de Cambridge.
Sa maison et le petit terrain qui l'entourait

étaient un inconcevable amas de bouts de ferraille dont il était difficile de comprendre la destination. L'homme était assez massif, avec une tête de boxeur de foire, une barbe de trois jours et des ongles noirs. Après m'avoir désigné un siège, il déplia une carte d'état-major de la Grande-Bretagne qui avait dû servir aux tout premiers automobilistes. Il me demanda une photo de Sandra, sortit un pendule de la poche de sa chemise, le suspendit au-dessus de la carte de la main droite, le tenant serré entre le pouce et l'index de sa main gauche. Puis il ferma les yeux. Le pendule se mit à tournoyer doucement, puis de plus en plus vite en suivant un cercle qui s'élargissait avec la vitesse. Le mouvement se ralentit, la main et le pendule se déplacèrent jusqu'en haut de la carte. Le pendule se figea. L'homme ouvrit les yeux et me dit d'une voix caverneuse qui avait tout fumé de la cigarette aux feuilles mortes :

— C'est là que se trouve votre femme. Près de ce village. Dans un bois ou une maison abandonnée. Dans un rayon de deux miles autour du village.

Je m'approchai de la carte pour lire le minuscule nom de bourgade. Doorne St Andrew, dans les Highlands, tout au nord de l'Écosse. Je notai l'endroit sur un petit carnet, ainsi que les noms des villes avoisinantes pour être certain de le retrouver. Quand je voulus payer le bonhomme, il m'en dissuada d'un geste de la main.

— Je fais ça pour rendre service.

En ouvrant la porte après l'avoir remercié, je lui demandai :

— Sans vouloir vous froisser, monsieur Burns, vous arrive-t-il parfois de vous tromper ?

— Si je ne sens rien, je le dis. Mais si ma main est guidée par le pendule vers un endroit précis, c'est bien là qu'est la personne.

— Parfait. Y a-t-il quelque chose que je puisse faire pour vous ?

— Je ne crois pas, mais s'il me vient une idée, je vous en parlerai, répondit-il avec un sourire qui lui plissa les yeux.

Tout en préparant des cartes et quelques affaires de rechange, je ressassais l'idée qu'il me fallait parler à Tess, ne fût-ce que pour lui dire que je comprenais sa réaction, mais que je ne pouvais pas l'accepter, car elle était bien trop éloignée de mon éthique. Je reculais sans cesse le moment de le faire, prétextant mille mesures à prendre avant mon départ. En particulier, je m'occupai, avec l'aide de Mary, de choisir quelques vêtements de Sandra pour les faire sentir aux chiens lorsque nous serions sur place. Il ne fallait rien oublier. Surtout pas les gamelles des chiens, de l'eau, des croquettes, et quelques boîtes de conserve pour moi, au cas où l'endroit, comme c'était probable, se révélerait un désert.

Lorsque j'eus épuisé tous les prétextes, je fis

le numéro de cette chambre d'hôtel où Tess et moi avions passé ensemble près de huit mois. J'espérais, sans me l'avouer, qu'elle serait sortie, mais elle décrocha dès la première sonnerie.

Son accueil fut glacial, sa voix sombre et détachée :

— C'est bien que tu aies pris le temps de m'appeler, Harold. Il n'est pas nécessaire que tu continues à payer la chambre d'hôtel : je partirai demain. J'irai me reposer quelques jours chez mes parents. Je vais reprendre un logement social et chercher un agent.

— Et la pièce ?

— C'était *notre* pièce, rétorqua-t-elle. Elle n'a aucun avenir sans nous.

Sa détermination à me quitter déclencha en moi une véritable panique.

— Et si on disait simplement qu'on traverse une mauvaise passe, que les circonstances sont trop lourdes pour ne pas altérer notre jugement ? Nous avons besoin d'une pause.

— Harold, répondit-elle après un silence, je crois que tu es un lâche. Je lis à travers toi comme au travers d'une eau limpide. Tu sais très bien que, si ta femme est morte, sa mort restera entre nous comme la punition de notre amour et que tu ne le supporteras pas. Mais tu continues à espérer qu'elle t'aura fait grâce et que nous pourrons reprendre une vie commune. Tu veux tout ménager, parce que tu n'es plus sûr de rien. Je *sais* que tu m'aimes encore et que tu m'aimeras encore longtemps. Mais tu m'aimes sans courage, c'est pour cela que je préfère renoncer. Le Delamere que j'ai vu dans la tourmente m'a déçue. On croit vivre à côté d'un héros, et quand vient la guerre, on découvre sa vraie nature. Je sais que je vais souffrir, des mois, des années, mais c'est mieux ainsi. Adieu, maintenant.

Elle a raccroché. J'imagine qu'elle a quitté la chambre d'hôtel dans les minutes qui ont suivi. J'ai rappelé immédiatement après la fin de notre conversation, affolé comme un enfant perdu dans la foule. Elle n'était plus là.

L'endroit indiqué par Burns se trouvait à une trentaine de miles au nord-ouest d'Inverness. Curieusement, c'était mon premier voyage au pays de Walter Scott ; l'Écosse n'est pas la destination favorite des aristocrates anglais. Plus de deux jours m'ont été nécessaires pour gagner cette terre de désolation, balayée par un vent qui semblait venir en droite ligne du Groenland. Une contrée où il n'est pas nécessaire de conduire à gauche car les routes excèdent à peine la largeur d'une voiture. J'ai trouvé une minuscule auberge qui ne semblait pouvoir se maintenir que grâce au passage estival entre le Loch Ness et l'île de Skye. Je suis arrivé à la nuit. L'endroit était animé. Une table d'une dizaine de chasseurs de daim, ahuris par le vent, la bière et le pur malt, était collée contre une cheminée en pierre surmontée d'une grande poutre. Les murs étaient recouverts d'un papier peint tartan décollé aux angles. Une femme d'une quarantaine d'années s'affairait à servir les chasseurs, aidée par une adolescente qui présentait une étonnante ressemblance avec sa mère. Je suis resté planté là quelques minutes avant que celle que je soupçonnais être la patronne ne découvre ma présence. Elle s'est avancée vers moi, en s'essuyant les mains sur son tablier d'un air désolé :

— Que puis-je pour vous, monsieur ?

— Je souhaiterais, si c'est possible, une chambre pour deux ou trois nuits.

— Oh ! mon Dieu, s'exclama-t-elle, demain et après-demain vous aurez l'hôtel pour vous seul, mais ce soir je suis complète. C'est la chasse chez lord Mac Enzie, une partie des invités loge ici à leurs frais. Ils repartent pour Edimbourg demain. Et à moins de vingt-cinq miles d'ici tout est fermé ou complet, parce qu'on y chasse aussi.

Pendant cet échange, les dix convives écossais s'étaient tournés vers moi me détaillant de la tête aux pieds sans bienveillance excessive.

— Prenez cette petite table, continua-t-elle, en me désignant un coin de la pièce. Je vais vous servir un ragoût d'agneau avec une bière, en attendant de trouver une solution.

Une heure plus tard, alors qu'on pouvait compter deux fois plus de bouteilles que de convives à la table de mes voisins et que je me demandais si on avait bien fait de coloniser ces gens-là, la patronne revint, les traits tirés par la fatigue, mais le visage souriant.

— Je crois que j'ai trouvé, dit-elle. Je vais vous donner la chambre de ma fille pour cette nuit, et elle dormira avec moi. Je ne vous prendrai que la moitié du prix. Ça vous convient ?

Je la remerciai, tout en m'excusant sincèrement du dérangement que je lui causais.

— Ne vous excusez pas, répondit-elle. D'ailleurs, ça nous fait un peu de compagnie.

Je suis allé ensuite nourrir mes chiens, que j'installai pour la nuit dans le coffre de mon vieux break. Alors que la beuverie champêtre battait son plein, je me suis endormi d'un coup, comme assommé.

Je me suis réveillé vers quatre heures du matin. Je grelottais. Je venais de faire un cauchemar. Sandra était retournée à Bantry et s'était fait exploser dans son atelier avec une bouteille de gaz.

En règle générale, lorsqu'il succède à un cauchemar le réveil apparaît comme une libération. Dans mon cas, le retour au réel laissait autant d'interrogations, de craintes et d'angoisses difficiles à maîtriser. Il me vint l'idée d'une prière, d'une conversation franche avec Dieu, comme je n'en avais pas eu depuis mon enfance.

Il s'ensuivit un monologue avec le Créateur où je lui rappelai qu'en quarante ans, si je n'avais jamais été très assidu à son culte, je n'avais jamais non plus sollicité de Lui aucune faveur — ce qui était gage d'une foi moyenne, peut-être, mais désintéressée. Je lui demandai simplement d'épargner Sandra, de lui donner le courage de vivre, s'il était encore temps. Je crois que Dieu m'a demandé en retour s'il fallait l'épargner pour elle-même ou pour moi. J'ai trouvé la question embarrassante et je me suis rendormi.

Les chasseurs quittèrent leurs chambres un à un vers sept heures, dans un bruit de pieds qu'on traîne les matins qui déchantent. De ma fenêtre, je les vis emprunter le chemin qui partait derrière l'hôtel, en file indienne, le fusil sur l'épaule, et s'enfoncer dans le brouillard. Je descendis à la salle à manger. La patronne me salua gaiement, puis m'apporta du café, des œufs brouillés et des toasts. Après s'être affairée quelques minutes dans sa cuisine, elle vint près de moi avec une tasse de thé à la main.

— Je vais faire une petite pause maintenant que les chasseurs sont partis.

— Où vont-ils ? demandai-je.

— Jusqu'à Lenmoore Castle, à un mile et demi par le sentier. C'est là que se fait le rassemblement. Ensuite ils chassent sur les terres de lord Mac Enzie. Le vieux lord leur loue la chasse. Ils tirent le daim, une chasse à pied.

— Et votre fille ?

— Elle suit la chasse avec deux poneys sur

lesquels ils chargent les bêtes abattues. Elle aime ça, ça lui permet de voir du monde et de gagner un peu d'argent de poche.

— Quelle âge a-t-elle ?

— Elle va avoir seize ans dans un mois.

— C'est étonnant comme elle vous ressemble.

— Physiquement, oui. Mais elle a le caractère de son père. Elle ne tient pas en place ; le même besoin d'aventure, d'espace.

— Son père est en voyage ?

Elle eut un sourire qui allait loin.

— Depuis quinze ans, oui, sans donner la moindre nouvelle.

— Je suis navré.

— Il ne faut pas, dit-elle en se relevant. Vous allez avoir une belle journée. Quand le brouillard est installé comme ça, c'est qu'il fait beau derrière. Malheureusement, le brouillard ne se dissipe jamais. Sauf quand il pleut. Dites-moi, qu'est-ce que vous êtes venu faire dans cette lande ?

— Si je vous le disais, vous ne me croiriez pas.

— Laissez-moi deviner, dit-elle feignant l'excitation. Vous êtes historien, ou alors archéologue ?

— Ni l'un ni l'autre. Botaniste.

— Et qu'est-ce que vous étudiez ?

— Les arbres, les effets de la pollution sur les arbres.

— Et vous avez choisi l'endroit du Royaume-Uni où il y a probablement le moins d'arbres au mètre carré ?

Je suis resté quelques secondes sous le choc, puis j'ai repris mes esprits.

— C'est bien cela. Moins la région comporte d'arbres, plus ils concentrent les problèmes, et plus l'observation est aisée.

— Et comment comptez-vous vous déplacer ?

— À pied.

— À pied ? reprit-elle avec étonnement. Vous n'allez pas voir plus d'une dizaine d'arbres dans la journée. Si vous savez monter à cheval, je vais vous prêter le nôtre, c'est un highlander, une race d'ici. Il n'est pas très grand, mais il vous portera la journée entière sans la moindre fatigue. Vous verrez, c'est un gentil cheval et il a le pied sûr.

— J'accepte volontiers, mais dites-moi, vous n'auriez pas vu passer une de mes collègues il y a à peine un mois ?

— On ne voit pas tant de monde par ici à cette époque, je m'en souviendrais. Décidément non, je n'ai pas vu d'arbre déguisé en femme, dit-elle avec un sourire qui en disait long sur le crédit qu'elle portait à toute mon histoire.

Je suis sorti lâcher les chiens. Je leur ai fait longuement sentir une chemise de nuit qui appartenait à Sandra. Ils préféraient visiblement les mille odeurs humides de la lande qui fermentait.

Puis, j'ai sellé le cheval de Mme McFarlane et

je suis parti dans le brouillard à la recherche de l'épicentre pendulaire. Cette quête d'un bosquet, d'un taillis un peu touffu dans un paysage presque lunaire où tout ce qui tente de pousser est aussitôt balayé par les vents perdait un peu plus de son sens au fur et à mesure que j'avançais. Je me mis à maudire ce magnétiseur qui m'avait conduit jusqu'à cette terre si découverte, si absolument tournée vers le ciel qu'on ne pouvait imaginer qu'elle pût être le théâtre d'une mort préméditée.

Je suis rentré à l'auberge à la nuit tombée, transi, fatigué, exhalant une forte odeur de cheval, bien décidé à abandonner mes recherches.

L'auberge semblait paisible, comme entourée d'un coton protecteur.

Mon hôtesse m'interrogea d'abord sur ma monture :

— Windy ne vous a pas fait d'ennuis ?

— Pas le moindre. Cette jument est amusante, elle remue la tête comme un pur-sang arabe, mais elle est aussi tranquille qu'un cheval de trait.

— Avez-vous trouvé des arbres ? demanda-t-elle. Au moins un ?

— Moins que d'étangs. J'ai fini ; je crois que je vais repartir demain. Mais, bien entendu, je vous paierai la nuit suivante, puisque je l'avais réservée.

— Ne vous inquiétez pas pour ça. Nous dînerons vers sept heures. Si vous préférez dîner seul...

— Jamais de la vie ! Si vous n'êtes pas occupée par d'autres clients, je serai ravi de partager le repas avec vous.

La fille de mon hôtesse s'était jetée sur le réfrigérateur à son retour de la chasse, puis elle était partie s'installer devant la télévision.

La soirée prit vite un ton de retrouvailles entre deux amis d'enfance. Mme McFarlane parlait de sa vie sans mystère ni fausse pudeur. C'était l'auberge de sa mère, qui la tenait de sa propre mère, et qu'elle destinait à sa fille. Une maison de femmes. De femmes fortes, qui avaient appris à ne pas dépendre de la fragilité des hommes. Son mari était parti sans crier gare peu après la naissance de leur fille. Pour fuir l'Écosse et ses hautes terres. Comme je ne m'expliquais pas son étonnante gaieté, elle me répondit que, même en creusant au plus profond de sa mémoire, elle ne trouvait aucune raison d'être triste. Je ne sais si c'était la bière ou la chaleur inattendue de l'endroit, mais je finis par lui conter la raison de ma venue. Elle m'écouta sans m'interrompre, et me dit pour finir :

— À votre place, j'aurais sondé les étangs et les tourbières, plutôt que les taillis et les bois. De toute façon, ça n'aurait pas servi à grand-chose ; ni les étangs ni les tourbières ne restituent jamais les corps. Mais mon intuition de femme me dit qu'elle ne s'est pas suicidée. Parce qu'elle vous connaît bien, et que vous n'êtes pas homme à quitter une femme pour de bon. Si c'était le cas, elle se serait résignée. À mon avis, vous aurez des nouvelles un jour prochain.

Je suis parti me coucher avec le sentiment de m'être fait une nouvelle amie.

Lorsqu'elle est entrée dans ma chambre en chemise de nuit, j'ai tiré mes draps comme un collégien surpris dans son intimité. L'étonnement passé, j'ai vu s'avancer une femme d'une simple beauté, aux lèvres nettement dessinées, au corps ample sans lourdeur, un puits de sensualité. Elle a murmuré :

— Je ne vous demanderai rien, et nous ne garderons que le souvenir d'un vrai bon moment.

Mon retour à Bantry marqua la fin d'une période que je caractériserais de « trop plein ». Je me suis replongé dans le rythme de la propriété avec autant de plaisir qu'un chien qui retrouve son vieux tapis. Dans le monde aristocratique, la tradition veut que les inquiétudes métaphysiques soient mises à profit pour édifier de nouveaux bâtiments. Je n'entrepris aucune nouvelle construction, mais décidai de restaurer deux vieilles métairies qui menaçaient de s'effondrer, à l'extrémité nord de la propriété. Je n'en avais pas vraiment l'utilité et il n'était pas question d'y loger quiconque, mais voir ces fermettes à colombages impuissantes à se défendre contre les ruissellements de la pluie m'apparaissait comme une chose cruelle et irrespectueuse à l'égard de ceux qui les avaient bâties, deux cents ans auparavant, moyennant une ration quotidienne de pain noir et une assiette de haricots cuits dans le lait.

Je repris aussi une vieille occupation abandonnée dix ans auparavant : la reconstitution du champ de bataille de Waterloo avec des soldats de plomb.

Il y a une vraie douceur à ne pas aimer, à n'éprouver aucune passion ni emportement pour rien ni personne, et je me mis à louer tous ceux, que l'on dit médiocres, qui renoncent à se laisser entraîner vers le feu et la lumière.

Cependant, l'absence de Tess se faisait souvent sentir ; sa chaleur et cette façon unique qu'elle avait de se mouvoir et d'occuper l'espace me manquaient. La douleur de cette absence se manifestait par un essoufflement qui ressemblait à de l'asthme, comme si mon corps refusait de vivre sans elle. Cet état d'asphyxie rampante s'installait chaque fois que je me persuadais que Sandra était vivante. Mais lorsque des images funestes s'emparaient de moi, le souvenir de Tess se déformait. Elle prenait alors la forme d'un accusateur public inflexible, insensible à la réalité du monde.

Et pourtant — amour ou orgueil — je refusais son silence. Il me vint alors l'idée d'appeler ses parents.

À Dorchester, où ils vivaient, deux cent six abonnés répondaient au nom de Smith. Je parcourus les deux cent six prénoms avec l'espoir que l'un d'eux tinterait comme une cloche dans ma mémoire. Sans résultat. Les deux femmes qui occupaient mon esprit avaient disparu sans laisser de traces.

*P*rès d'un mois plus tard, je reçus une lettre postée d'Inverness en Écosse. Dans un premier temps, la chose m'intrigua, puis je me dis que mon accueillante hôtesse n'avait eu aucune peine à trouver mon adresse, puisque je lui avais remis un chèque en paiement des deux jours de pension. Je me pris à imaginer que ma fécondité prétendument morte s'était peut-être réveillée sous les bienfaits du grand air des hautes terres.

Je décachetai la lettre. L'écriture était appliquée, déliée, la calligraphie d'une taille un peu excessive. Je ne fus pas long à reconnaître sa rédactrice. Quelques mots couchés sur une page blanche me libéraient en un instant de la mâchoire de fer qui m'empêchait de respirer depuis des semaines. Je me souviens de chacun de ces mots. Je les ai tous aimés, aucun ne pouvait gâcher mon soulagement : Sandra était vivante.

Campagne anglaise

Mon cher Harold,

Pardon de ne pas t'avoir donné de nouvelles plus tôt, mais je ne suis tout à fait moi-même que depuis peu.

Je suis bien partie ce matin de septembre avec l'idée d'en finir avec une souffrance qui m'était devenue insupportable. Mettre un terme à sa vie n'est ni folie, ni vengeance, ni naufrage ; c'est simplement arrêter une douleur dont on ne distingue plus vraiment ni la cause ni le cheminement.

Pardonne-moi d'avoir emporté ton fusil, mais une arme à feu me semblait la plus rapide des thérapies. Encore fallait-il en choisir les modalités. Le tir au visage m'a semblé inadéquat avec mon désir de faire une belle morte. J'ai pensé à me viser au ventre ; le geste est incommode et il me déplaisait de détruire ce qui aurait pu faire de moi une mère, même s'il est peu probable que l'occasion se représente un jour.

À force de réfléchir, les jours ont passé. Mes réserves d'argent liquide se sont évanouies. Je ne voulais pas puiser sur mes comptes ; c'était un indice dont tu te serais probablement servi pour te donner bonne conscience, ce qui à l'époque, tu t'en doutes, n'était pas mon objectif premier. Je me suis donc trouvée dans l'obligation de vendre ton magnifique fusil de chasse — dont tu ne t'es d'ailleurs jamais servi. J'en ai tiré un bon prix. C'est ainsi que j'ai repris vie peu à peu.

Je me suis rappelé un reportage diffusé par la BBC il y a deux ou trois ans sur une communauté catholique

157

près d'Inverness qui accueillait des gens à bout de forces. Je m'y suis rendue. Ils m'ont gardée. Je suis restée à l'écart des autres pendant vingt-huit jours. Tous les matins, je parlais avec un prêtre. Nous n'avons jamais abordé le passé, nous parlions de l'avenir. De l'avenir dans la maison de Dieu. Puis, ils m'ont proposé de travailler pour leur école, qui s'occupe d'enfants en difficulté. Comme professeur de dessin et de travaux manuels. Et depuis, je vis. Une nouvelle vie. Tellement plus vraie.

Je t'écris pour te dire que ton chemin ne mène nulle part, mais que je te pardonne. Je te pardonne le mal que tu m'as fait. Je te pardonne ta lâcheté. Je te pardonne cette liaison illégitime.

Je me souviens de toi, lorsque nous nous sommes connus. Un grand jeune lord efflanqué comme un loup affamé, au visage recouvert de boutons juvéniles, et qui se donnait des airs de George Harrison. Qui cultivait le cynisme, aussi, pour se donner une contenance devant les femmes dont il n'avait touché aucune. Et moi, jeune femme courtisée par une bonne moitié de Londres, j'ai cru en ce jeune homme frêle à la sensibilité désuète, qui peinait à dissimuler ses larmes à la fin de Harold et Maude et qui se réveillait la nuit avec des angoisses de nourrisson. Puis, le timide adolescent qui s'appuyait sur moi a pris de l'assurance. Sa silhouette s'est épaissie, sa peau s'est lissée. Il est parvenu à vaincre ses peurs. Il a « évolué », comme il le disait lui-même. La quarantaine approchant, il a regardé avec mépris celle dont le tort était de n'avoir jamais changé, *de ne pas avoir eu « l'intelligence » de le faire, et il est parti à la recherche d'une femme plus jeune.*

Je te souhaite beaucoup de chance avec cette nouvelle femme, Harold, mais si tu es si sincère avec elle, n'oublie pas de lui dire que tu es incapable d'aimer.

Je ne souhaite pas te revoir, je t'ai rendu ta bonne conscience, c'est suffisant. Connaissant ta fragilité, ma mort aurait immanquablement détruit ton nouveau couple. L'exercice était trop facile. Écris-moi. Écris-moi le jour de votre séparation, et seulement ce jour-là.

Sandra

PS. Finalement, je ne souhaite pas te lire. Que m'importe votre séparation, c'est une lettre de pardon, bon vent !

J'ai refermé la lettre, tout au plaisir de mon soulagement. Puis j'ai maudit le radiesthésiste pour la vétusté et l'imprécision de sa carte.

Entre la psychiatrie qui s'obstine à identifier un mal qu'elle est incapable de soigner et la foi qui guérit sans rien connaître de l'origine de ce mal, Sandra avait choisi. Je n'avais rien à y redire.

La nature — particulièrement la mienne — ayant horreur du vide, j'entrepris aussitôt de nouvelles recherches pour retrouver Tess. Mon désir d'elle renaissait jusqu'à l'oppression. L'heure

159

n'était plus à la rupture, ni à savoir lequel des deux avait quitté l'autre. Il fallait trouver un moyen de renouer. Elle devait me pardonner ce qu'elle s'était évertuée à faire passer pour de la lâcheté. Il me fallait oublier que la mort de sa concurrente n'était pas, par principe, un obstacle à sa quiétude.

J'occupais mes journées à appeler des agences de casting en me faisant passer pour un producteur en quête d'une actrice d'un type particulier. Rien n'y fit. Je m'abonnai à toutes les revues de théâtre de Grande-Bretagne et d'Irlande. Cette obstination finit par payer. On l'annonçait dans une pièce jouée à trois reprises dans une minuscule salle prêtée par l'université de Birmingham.

Je ne pris pas le risque d'attendre la deuxième ou la troisième représentation de peur qu'elles ne soient annulées sans préavis. Le soir de la première, je m'installai dans le coin le plus obscur de la petite salle plus d'une heure à l'avance, par crainte de ne pas trouver de place ou d'être trop près de la scène. Je ne vis entrer qu'une quarantaine de spectateurs ; la salle pouvait en contenir le triple. La plupart d'entre eux paraissaient se demander ce qu'ils faisaient là.

Le rideau se leva sur deux acteurs qui se lancèrent dans un dialogue outré sur des considérations sociales qui semblaient inspirées des premiers discours de Lénine à son retour d'exil. Les minutes passant, je m'enfonçai de plus en plus dans les profondeurs de mon fauteuil aux ressorts assassins. L'apparition de Tess me prit au ventre, et je n'étais pas le seul, à en juger par les commentaires du public. Elle était resplendissante, dans une robe longue qui enveloppait sans les trahir des formes comme on n'en voit qu'à la proue des grands voiliers.

Sa première réplique résonna à mon oreille comme le fracas d'un cristal qu'on brise, comme la déchirure d'une toile de maître, comme le dernier souffle d'un être aimé. Elle ne jouait pas mal. Elle jouait faux. Faux comme un soliste qui s'obstine à jouer sur un instrument désaccordé. Faux comme un sourd qui hurle en croyant murmurer. Tess n'avait pas le talent de son intelligence. Elle était trop elle-même pour jouer quelqu'un d'autre.

Je me suis mis à pleurer sans bruit. Puis j'ai quitté la salle sur la pointe des pieds, dans le noir, trébuchant contre des sièges vides.

Je n'ai pas quitté ma chambre à Bantry, pendant plusieurs semaines. Je me suis fait livrer deux cartons de bourbon de vingt-cinq ans d'âge, bien décidé à ne pas revoir la lumière du jour avant de les avoir tous vidés.

La nouvelle de la disparition de Tess n'eut sur moi que l'effet d'un chargeur de balles que l'on vide sur un mort.

J'avais passé la nuit à reconstituer l'arbre

généalogique de ma famille en collant sur un grand carton, à même le sol, miniatures et photographies de mes ancêtres. Une poignée d'entre eux s'étaient aimés. J'imaginais que les autres avaient cédé au mélange des sangs par intérêt ou simple convenance. Une multitude de petites routes qui aboutissaient sur un seul chemin étroit. Une voie sans issue. À chaque génération, j'avais célébré l'avancement de mon travail en buvant un verre. Je m'étais écroulé à l'aube en tenant dans une main un petit bâton de colle et, dans l'autre, le grossier portrait à l'huile de mon arrière-grand-mère que sa fortune n'avait pas empêchée de mourir de la tuberculose.

La sonnerie du téléphone a résonné comme la cloche infernale d'un pensionnat. J'ai rampé jusqu'au combiné et décroché sans pouvoir émettre autre chose qu'un grognement. Une petite voix timide était à l'autre bout de l'appareil :

— Monsieur Delamere ?

— M'ouais...

— Oh ! pardonnez-moi, j'ai dû me tromper de numéro...

— Je crains que non, madame.

La voix a hésité un moment avant de poursuivre.

— Je suis Deborah Smith, la maman de Tess.

Ce fut comme si l'on m'avait jeté un seau d'eau au visage. Je me redressai d'un bond.

— Madame Smith, je ne vous avais pas

reconnue, je suis désolé ! Je vous prie de m'excuser, mais je me suis couché très tard...

— Monsieur Delamere, reprit une voix tremblante, je vous appelle à propos de Tess.

— Oui, comment va-t-elle ?

Il y eut un silence de fin du monde.

— Tess est morte, monsieur Delamere.

J'ai passé le reste de la conversation à attendre de me réveiller, persuadé qu'il ne s'agissait là que d'un cauchemar d'ivrogne. Devant mon mutisme, la voix a continué :

— Tess s'est noyée. Elle est partie seule un soir, après le dîner, avec notre chien, Toupy. La police a retrouvé la voiture quelques miles avant Lyme Regis. Le chien était toujours dedans. La mer ne nous a rendu notre Tess que deux jours après.

Comme j'étais incapable de prononcer un mot, elle a dit encore :

— C'est étrange, monsieur Delamere, mais Tess n'aimait pas la mer ; elle ne s'y baignait jamais. Vous savez, mon mari et moi sommes des gens discrets ; nous avions bien senti que Tess et vous aviez un petit froid, mais elle vous aimait tellement. Elle disait encore la semaine dernière que rien ne pourrait jamais vous séparer. Voilà, je ne savais pas si vous étiez au courant. Je pensais que non, puisque vous n'étiez pas à son enterrement. Elle était toute notre vie. Nous l'avions adoptée alors qu'elle avait huit mois. Je ne vous passe pas mon mari, il est incapable de se lever.

Je voulus parler, mais je ne parvins pas à articuler le moindre mot. De très loin, j'entendis :

— Au revoir, monsieur Delamere. Mon mari et moi sommes encore à notre peine, mais si vous avez l'occasion de venir dans le Dorset, cela nous ferait très plaisir de vous voir.

J'ai continué à m'assommer avec du bourbon pendant près de deux mois, menaçant même de congédier mon vieux Robert qui ne voulait pas aller chercher les bouteilles à Cambridge pour ne pas être complice de ma destruction.

C'est finalement Mary qui a eu le dernier mot. Elle est entrée dans ma chambre un soir. Elle s'est assise sur une bergère sans laisser paraître le moindre reproche. Elle m'a longuement fixé avant de me dire, de sa voix douce et monocorde :

— Je croyais que nous étions d'accord sur quelque chose, tous les deux.

Elle m'a laissé rassembler le peu d'esprit qui me restait, avant de finir sa phrase.

— Je croyais que nous partagions l'idée que la chose la plus importante dans l'existence, c'était la dignité.

Je me suis levé en titubant et, libérant mon haleine de chacal, j'ai répondu :

— C'est cela, Mary, la dignité. Rien n'est plus important que la dignité.

III

*H*arold Delamere avait raconté toute son histoire debout devant la fenêtre de sa chambre, face au parc, sans jamais se retourner. La pleine lune illuminait les étangs qui frissonnaient sous la brise. Il avait parlé longtemps. Si longtemps que des animaux sauvages sortis des bois étaient venus s'abreuver dans la lumière. Cerfs, chevreuils, renards s'étaient succédé, respectant une préséance dont il ignorait l'ordre. Il s'était lancé dans ce grand monologue en dramaturge novice qui découvre les intonations au fil de son récit. Il avait ri quand il le fallait, pleuré de ces larmes qui ne brisent pas la voix quand l'émotion l'emportait sur le rôle. L'impudeur de sa narration l'avait parfois paralysé. Quand il eut fini, il se retourna lentement vers Paul, comme ces acteurs qui prennent leur temps avant de venir cueillir une ovation.

Paul n'avait pas bougé, enfoncé dans le large

fauteuil club en cuir fauve dont les accoudoirs semblaient l'entourer comme deux pattes d'ours. Il dormait du sommeil du juste.

Harold sortit une couverture d'une commode et l'en couvrit. Puis il descendit à la cuisine pour se faire du café, bien décidé à ne pas s'endormir avant l'aurore.

Dès que le jour pointa, il enfila sa tenue de chasse à courre et se dirigea vers les écuries. Il passa en revue ses chevaux, jugea qu'aucun ne méritait de s'exposer à une fourbure en courant derrière un renard. Il prit à pied la direction de la propriété de lady Carven, en se promettant de s'y faire prêter une monture. Il renvoya ses chiens, qui s'étaient mis en tête de l'accompagner. En suivant les bocages qui longeaient des prairies d'un vert gorgé d'eau, et voyant la façon dont ses bottes s'enfonçaient dans le chemin balisé, il se félicita de n'avoir pas pris un de ses chevaux. La chasse allait être épuisante. Il lui vint fugitivement à l'esprit à quel point il devait être difficile de vivre un drame à la ville. La campagne, se dit-il, a cela de commode, qu'elle remet les choses en perspective, en ramenant l'homme à ce qu'il est : un point sombre sur un horizon qui l'ignore.

La chasse fut conforme à ce qu'on pouvait en attendre. Toute l'aristocratie locale s'était réunie pour une belle et grande journée d'inutilité. Personne n'éprouvait d'animosité particulière contre

le renard, mais les traditions sont les traditions.
Pour ceux qui les suivent. Lorsque le veneur
donna le signal, Harold emboîta le pas à lady
Carven qui, à plus de quatre-vingts ans, montait
encore en amazone. Il se félicita de cette belle journée qu'il allait passer à galoper derrière une
flamme rousse. À son retour à Bantry Hall, Julia
serait loin au-dessus de l'Atlantique.

L'amitié qui était née de façon aussi inattendue entre Harold et Paul non seulement résista à
l'enthousiasme des premiers instants, mais se
révéla à la longue comme une fraternité fondée
davantage sur leurs différences que sur leurs
goûts communs. Un certain fatalisme et une égale
générosité les réunissaient.

Harold fit beaucoup pour procurer à son ami
le poste d'organiste titulaire de l'église de Bantry.
Une charge bien légère, puisqu'elle ne s'exerçait
que les mois d'été lorsque les villégiatures rou-
vraient leurs portes et leurs jardins à des citadins
ébahis par la nature retrouvée. Mais une charge
dont l'importance se mesurait au plaisir qu'elle
procurait à Paul, qui réalisait là un rêve d'enfant.

Harold et Paul déjeunaient ensemble une ou
deux fois par semaine.

Après quelques hésitations de pure forme,
Harold se décida un jour à conter à son ami l'histoire de sa relation avec Julia. Les circonstances de
leur rencontre amusèrent Paul, dont tout le

commentaire se réduisit à un sourire qui semblait en dire long sur la complexité des choses qui lui restaient à découvrir.

Harold se tint près de son ami lorsque Ann fit, du fond de son lit, une attaque cérébrale qui l'emporta. Paul passa les semaines qui suivirent à Bantry. Harold lui proposa de s'installer sur le domaine, dans une des fermes restaurées. Il userait de ses relations pour lui trouver un poste d'organiste titulaire à plein temps. Paul déclina l'offre. Au fond, il ne voulait être rien d'autre qu'un amateur passionné, et rester dans cette maison modeste dans laquelle il avait vécu avec Ann. Mais les deux hommes étaient devenus inséparables. Il ne se passait pas une journée sans que Paul fît une halte à Bantry. Au petit matin ou en fin de journée, car dans l'intervalle il dormait.

Un matin de printemps, après une nuit de veille à son poste de garde, Paul avait pris le bus pour Bantry afin d'y partager le petit déjeuner de son ami, qui ne montrait pas beaucoup d'allant ces jours-ci.

Harold, c'est vrai, perdait le goût de l'action. De toute forme d'action. Il semblait atteint du syndrome de l'oisiveté malheureuse, et il n'avait même pas de vice comme alternative à sa langueur.

La journée s'annonçait fraîche et ensoleillée.

Harold porta lui-même tasses et couverts sous une gloriette adossée à l'arrière de la maison, dont les vitres ensoleillées renvoyaient une douce chaleur.

Robert, en tenue de jardinier, s'approcha de la table en tenant à la main un petit paquet de courrier qu'il tendit à Harold.

— Merci, Robert. Tiens, une grosse enveloppe, ajouta-t-il en tirant du paquet un pli plus volumineux.

Harold continua à bavarder avec son ami jusqu'à ce que son regard vienne se poser sur le timbre de l'enveloppe. C'était un timbre argentin et le cachet de la poste indiquait Buenos Aires. Il saisit un couteau. Sans prendre le temps d'essuyer la confiture restée sur la lame, il incisa le pli et lut :

Cher Harold,

Pardon de vous avoir quitté un jour plus tôt que prévu, mais j'étais pressée de retourner en Argentine pour des raisons que vous comprendrez tout à l'heure. Si je vous écris, c'est surtout pour vous faire don d'une pièce unique à votre collection de drames. Une de ces pièces qu'un amateur éclairé pourchasse sa vie durant sans vraiment espérer la croiser un jour. Une sorte de saint Graal du collectionneur, un Van Gogh de 4 mètres sur 3 retrouvé dans un faux plafond de l'auberge Ravoux, un linceul du Christ daté et signé par Madeleine, une progéniture d'Hitler et Eva Braun certifiée par un test génétique.

Je ne connais pas la tragédie qui est la vôtre, et la connaître n'aurait probablement rien changé à notre relation. Nous étions en affaire, point à la ligne. Une affaire qui s'est transformée en don de votre part, car vous n'étiez pas capable de prendre la part qui vous revenait. J'ai pris la mienne, l'argent m'a été utile. Mais je me suis sentie coupable de ne vous avoir laissé aucune contrepartie. D'où ma lettre aujourd'hui. Et aussi parce que j'ai l'intuition que, sans cette lettre et les informations qu'elle contient, vous n'aurez jamais le cœur de terminer votre anthologie, ou anthropologie, du drame que vous me pardonnerez d'avoir feuilleté la nuit où nous nous sommes séparés — le manuscrit était ouvert sur votre bureau.

Sachez, cher Harold, que je viens d'une grande famille argentine. Mon père est colonel d'aviation, son frère aîné propriétaire terrien et son frère cadet industriel : c'est lui qui a les licences d'importation pour une grande partie des produits d'origine asiatique. Mes parents m'ont eue tard, à plus de quarante ans. J'étais fille unique. Plus proche de mon père que de ma mère. Ma mère était une femme secrète, pieuse et froide. Mon père, très affectueux, attentionné, avec des manières de grand-père. J'ai eu une belle enfance dans l'Argentine d'après Videla. Mon père avait bénéficié du grand pardon. Il disait qu'il n'avait jamais été actif dans la lutte contre le terrorisme. Quand, adolescente, je lui posais des questions sur cette époque, il me disait : « Tu sais, Julia, c'est compliqué la politique. Ce qui est vrai à un moment donné ne l'est plus dix ans plus tard. » Il prenait la Russie en exemple pour montrer qu'ils n'avaient pas eu tort d'être fermes en Argentine, tout en reconnaissant que certains excès avaient été commis. « Quelle que soit la noblesse d'une cause, disait-il, dès le moment où elle est confiée à des exécutants incultes et brutaux, certains débordements sont inévitables. Même des bribes de pouvoir enivrent les gens de rien. » Mais, pour finir, il disait que cet épisode avait procuré à l'Argentine une stabilité nécessaire à sa prospérité.

Nous allions toutes les fins de semaines chez mon oncle à soixante kilomètres de Buenos Aires. Il avait un élevage de deux mille têtes pour la viande, une trentaine de poulinières criollos et trente-cinq poulinières pour le polo, avec une dizaine d'étalons pour les deux races. C'est ainsi que mon oncle m'a appris qu'il essayait d'élever la taille du modèle du cheval de polo en croisant les poulinières avec des pur-sang. Il n'est pas impossible qu'il ait utilisé la semence de votre étalon ; il me parlait souvent des élevages autour de Newmarket. Mon oncle rêvait de faire de moi un jockey. Mes parents s'y sont opposés. Je n'ai jamais eu de regret car, dès l'âge de quatorze ans, j'avais dépassé la taille et le poids autorisés. J'ai suivi les cours de la meilleure école catholique de Buenos Aires, comme externe. Mon père m'accompagnait lui-même, matin et soir, lorsque ses obligations le lui permettaient. Sinon, son chauffeur, payé par l'armée, faisait les trajets.

À plusieurs reprises, en terminale, alors que je quittais les cours en fin d'après-midi, un homme a *essayé de s'approcher de moi, mais il s'enfuyait dès que la voiture de mon père s'arrêtait devant la grille. J'ai parlé de son manège à mon père. Il m'a dit que c'était probablement quelqu'un qui préparait un enlèvement contre rançon. Je lui ai demandé s'il allait prévenir la police ; il préférait régler le problème avec des militaires de son unité. J'étais encore dans la cour devant l'école, quelques jours plus tard lorsque j'ai vu quatre types sortir d'une voiture, se jeter sur l'homme et le tabasser jusqu'à ce qu'il ne bouge plus. Ils sont ensuite remontés dans leur véhicule sans lui adresser un mot. Je n'ai pas compris. Mon père s'est un peu fâché lorsque je lui ai demandé pourquoi il ne l'avait pas fait arrêter. Il pensait qu'une bonne rouste valait mieux qu'un mauvais discours. J'étais très impressionnée par cette faculté qu'avait mon père de régler les problèmes seul.*

Plusieurs semaines après cet événement, une vieille femme est venue se poster au même endroit que l'homme. Elle était recroquevillée sur elle-même, et quand elle me regardait ses yeux semblaient m'implorer. Cette fois, je n'ai rien dit à mon père.

Quelques jours plus tard, le chauffeur, sans doute pris dans un embouteillage, n'était pas là à la sortie. J'ai attendu devant le grand portail. La vieille femme s'est élancée vers moi pour me remettre une enveloppe, qu'elle m'a mise entre les mains sans me regarder, puis elle est partie sans se retourner. J'ai mis l'enveloppe dans mon cartable et j'ai attendu d'être seule pour l'ouvrir. La première photo aurait pu être un portrait de moi, sauf que le papier semblait avoir vingt ans. La seconde me donna la certitude que ce n'était pas moi. La fille qui me ressemblait tenait enlacé un jeune homme barbu qui portait des vêtements des années soixante-dix. Au dos de la photo, d'une écriture maladroite, il y avait une adresse dans la périphérie de Buenos Aires. Mais pas de nom.

J'ai caché ces photos dans le double fond de l'armoire de ma chambre, et je me suis efforcée de ne plus y penser. Après mes examens de fin d'année, je me suis sentie très fatiguée, déprimée. Plus rien ne me faisait envie, pas même de monter les poneys de mon oncle. Ces photos m'obsédaient. Je refusais ce qu'elles devaient m'apprendre en me forçant à ne pas les regarder.

La décision de me rendre à l'adresse indiquée s'est prise presque malgré moi. J'ai pris un taxi pour cette banlieue que je ne connaissais pas. On l'apercevait bien de l'autoroute qui conduit à l'aéroport, mais mon père n'aurait jamais consenti à pénétrer dans un pareil endroit. Pour y faire quoi, d'ailleurs ?

Lorsque le taxi m'a déposée, j'ai trouvé le quartier moins effrayant que je ne le craignais. Pas de bidonvilles en planches et en tôles, mais de petites maisons modestes aux façades écaillées, aux portails rouillés. Aucune agitation, comme si toute cette population faisait la sieste. Un chien noir s'est approché de moi en remuant la queue. Le numéro 232 inscrit sur la photo était peint au-dessus d'une porte de ce qui semblait avoir été une épicerie. L'endroit avait l'air abandonné. Il m'a fallu quelques minutes pour me décider à sonner, et puis j'ai attendu, le cœur battant. Je n'avais pas peur *pour moi, mais je savais que je ne serais plus jamais la même en repassant cette porte dans l'autre sens. La vieille dame qui m'avait donné l'enveloppe est apparue, vêtue de noir. Elle m'a fait entrer, puis elle est restée un long moment silencieuse, à me regarder en pleurant, et enfin elle m'a raconté l'histoire que je m'étais préparée à entendre depuis plusieurs semaines.*

En 1976, ma mère était étudiante en architecture, avec des sympathies pour la gauche. Elle vivait avec un garçon de son âge, étudiant en dernière année aux Beaux-Arts. Ils envisageaient de se marier. Ils dînaient un soir chez un couple d'amis, tous deux militants communistes, lorsque la milice les a enlevés.

Aucune information n'a jamais circulé sur leur sort. La vieille dame m'a expliqué que mon père — son fils — était mort dans la semaine qui avait suivi son arrestation. Ma mère, qui était enceinte de moi, aurait été torturée le premier mois de son arrestation, puis mise au secret jusqu'à son accouchement. Après son accouchement, on lui a permis d'allaiter son enfant pendant un mois, puis elle a été supprimée. Celle qui venait de devenir ma grand-mère disait tenir ces informations d'un sergent, un dénommé Pedro Escobar, qui prétendait n'avoir rien fait parce qu'il était dans un bureau, mais qui avait vu beaucoup de choses.

Dans les jours qui ont suivi, j'ai décidé de quitter l'Argentine, mais auparavant, j'ai entrepris des recherches, et j'ai retrouvé cet homme qui avait lâché quelques informations au compte-gouttes, sans doute pour alléger sa conscience. Il n'a pas voulu m'en dire plus. Je lui ai demandé combien il voulait pour se montrer plus bavard. Il a réfléchi un peu avant d'annoncer le chiffre de dix mille pesos. Je ne les avais pas ; j'avais juste sur mon compte de quoi me payer un billet d'avion pour l'Europe. J'ai fui l'Argentine. Je ne voulais pas en savoir plus. J'ai choisi Paris. Et là, je me suis débrouillée comme vous le savez, dans une sorte de suicide moral et social. De retour d'Angleterre, j'avais l'argent — votre argent — pour payer le prix de la vérité. Escobar m'a donné rendez-vous au bar de l'Alvear, un des plus grands hôtels de Buenos Aires, où j'avais trouvé un petit boulot d'hôtesse sous un faux nom. Je lui passais les billets sous la table par paquets de mille pesos à mesure que son récit prenait de la consistance.

Il prétendit qu'après les quelques jours de torture qui avaient suivi son arrestation et pendant lesquels elle avait fait la joie de plusieurs officiers, un commandant de l'armée de l'air avait ordonné l'isolement de ma mère, qu'il avait sélectionnée sur photo, dans le fichier des détenues. Personne d'autre n'avait le droit de la toucher. L'officier ordonna des examens médicaux pour s'assurer qu'elle n'était pas enceinte. Il vint ensuite la visiter chaque jour jusqu'à ce qu'elle le devienne. Puis il disparut. Un mois après la naissance de l'enfant, il est venu l'enlever. Et il a ordonné qu'on fasse disparaître la mère.

En lui donnant sa dernière liasse de mille pesos, j'ai demandé à Escobar si l'officier avait exigé un traitement particulier pour elle, ensuite. Il m'a répondu que *le commandant avait eu l'air agacé de la question qui lui avait été effectivement posée, et qu'il avait lancé : « Vous n'avez qu'à suivre la procédure. »*

C'est ainsi que j'ai appris que la femme qui m'héberge en attendant mon retour vers l'Europe n'est pas ma vraie grand-mère. Son fils, l'étudiant disparu n'était pas mon père. Mon père est bien mon père. Il est bien le père de l'enfant de cette femme qu'il a violée avec méthode, jour après jour jusqu'à sa fécondation, pour la faire ensuite exécuter. La femme du commandant devait être stérile, je suppose. Alors mon père a choisi la femme la plus belle dans le catalogue des torturées. Puis il a déchiré la page, pour éviter qu'il vienne l'idée à quelqu'un d'en faire une copie. Il a brisé le moule à coups de talon. Et ils ont regardé, lui et sa femme, trottiner la petite fille en robe plissée bleue et socquettes blanches, et se sont sûrement félicités du... comment dit-on, déjà, chez les chevaux ? Du produit. Sauf que pour les chevaux, on n'abat pas la jument après la délivrance.

Je vous ai conté mon histoire ; un jour peut-être vous me direz la vôtre. Elle doit être bien différente, j'imagine, mais comme pour la mienne, il est sûrement impossible d'en panser les plaies. J'ai compris qu'il ne sert à rien de se battre contre certains démons. Il faut simplement vivre sans jamais se retourner.

Je voudrais quitter l'Argentine d'ici à un mois en passant par l'Uruguay, comme lors de l'aller, pour échapper à la surveillance de la police de l'Air. Je ne sais pas si j'irai m'installer en Angleterre ou en France.

Campagne anglaise

J'aimerais recevoir de vos nouvelles avant mon départ, si vous ne m'avez pas mise au rebut de vos souvenirs.

Julia

*E*n cette fin de matinée d'été, la lumière du soleil semblait se prélasser sur les profonds fauteuils du petit salon. Harold feuilletait un magazine après l'autre sans parvenir à se concentrer. Il s'interrompait à intervalles de plus en plus rapprochés pour regarder sa montre, avec l'envie de souffler sur les aiguilles pour les faire avancer. Il se leva d'un bond au bruit des pas qui s'approchaient dans le couloir. La porte s'ouvrit, et Mary fit entrer un homme dont la mise disait assez qu'il s'agissait d'un officier ministériel.

Harold le fit asseoir, puis il parut se recueillir un moment, avant de déclarer d'un ton qui pouvait paraître péremptoire :

— Voilà bien des années que nous ne sommes vus, maître Willougby ?

— En effet, répondit le notaire en s'enfonçant dans son siège. Je dirais que notre dernière rencontre remonte au moment où nous avons signé les actes qui permettaient de désintéresser les créanciers de feu Monsieur votre père.

— C'est cela. Eh bien, je vous ai fait venir aujourd'hui pour une affaire d'une importance tout aussi considérable à mes yeux

Le notaire fronça les sourcils.

— En quoi puis-je vous être utile ?

— Pour être bref, cher monsieur, j'ai décidé de procéder à une adoption.

Dissimulant son étonnement, le notaire répondit :

— Ce n'est pas une chose courante, lord Delamere, mais si vous êtes décidé à adopter un enfant, il existe des règles. Je ne vous cache pas que votre situation de célibataire ne facilite pas les choses, mais la qualité de votre famille devrait permettre de surmonter bien des obstacles.

— Il ne s'agit pas d'un enfant, maître.

Le notaire resta quelques secondes interloqué avant de s'écrier :

— Ne me dites pas que vous avez décidé de prendre pour héritier un de vos chiens ! Je sais qu'il s'agit de pratiques courantes aux États-Unis, mais ici, en Angleterre...

— Pas du tout. J'ai décidé d'adopter une jeune femme d'une vingtaine d'années.

Le notaire s'affaissa de plusieurs centimètres.

— Adopter une jeune femme adulte d'une vingtaine d'années ?

Puis, après un silence :

— Mais, grands dieux, lord Delamere, mais pourquoi ne pas l'épouser plutôt ?

Harold se leva.

— Je ne sais pas si elle consentirait... Elle arrive demain d'Amérique du Sud. Mais à supposer qu'elle accepte, je ne crois pas que ça réglerait le problème de la succession de Bantry, puisque, comme vous vous le savez peut-être je ne suis pas capable d'avoir d'enfant. C'est pour ça que j'ai pensé qu'il serait plus utile pour la pérennité du domaine, que je l'adopte. Elle pourra ensuite épouser un jeune homme de son âge et assurer une descendance.

— C'est une jeune fille de bonne famille, j'imagine ? demanda le notaire.

— De bonne famille ? répéta Harold.

Il hésita un moment avant de répondre :

— Oui, je suppose qu'on peut le dire comme ça.

Dans la soirée, Paul fit un détour par Bantry pour passer une heure avec son ami avant de regagner sa guérite de British Telecom. La journée fraîchissait et de petites gouttes commençaient à frapper aux carreaux de la cuisine. Les deux amis étaient attablés comme deux campagnards d'une toile de Hogarth, un verre de bière rousse à la main.

— Alors, c'est demain que Julia revient à Bantry ? s'enquit Paul. Tu dois être content !

— J'ai un peu le trac, pour être sincère, répondit Harold. J'ai vu mon notaire ce matin, je lui ai demandé de réfléchir aux moyens de l'adopter.

Paul eut un large sourire affectueux.

— De l'adopter ? Ça ne m'étonne pas de toi.

— Pourquoi ?

Paul se lissa les joues en plissant les yeux.

— Sais-tu ce que j'ai lu dans le *Cambrige Chronicle*, la nuit dernière ? Qu'il y a de fortes chances que le soleil s'arrête de briller d'ici cinq cent millions d'années. J'ai tout de suite pensé à toi et à Bantry. Dans quel état sera le domaine sans soleil ? Peux-tu l'imaginer ? Ce jour-là, je ne vois vraiment pas comment ta descendance, génétique ou non, pourra le conserver.

— J'ai bien peur que tu n'aies raison, dit Harold en souriant. Qu'est-ce que tu me conseilles, alors ?

— De vivre, Harold, tout simplement de vivre.

Cet ouvrage a été composé par
Nord Compo (Villeneuve d'Ascq)
et imprimé sur presse Cameron
par Bussière Camedan Imprimeries
à Saint-Amand-Montrond (Cher)

Achevé d'imprimer en avril 2000

N° d'édition : 2069. — N° d'impression : 002086/4
Dépôt légal : avril 2000.

Imprimé en France